MW00577398

EDAF

MADRID - MÉXICO - BUENOS AIRES

EDAF
MADRID - MÉXICO - BUENOS AIRES

Maestro JOHNNY DE'CARLI

REIKI
Universal

Usui, Tibetano, Kahuna y Osho

(Incluye todos los símbolos)

BOLSILLO ✦ EDAF

Título original:
REIKI UNIVERSAL

Traducido por:
MARIO LAMBERTI

© 1998. Madras Editora Ltda.
© 1999. De la traducción, Editorial EDAF, S. A.
© 1999. Editorial EDAF, S. A. Jorge Juan, 30. 28001 Madrid.
   Dirección en Internet: http://www.arrakis.es/~edaf
   Correo electrónico: edaf@arrakis.es
   Para la edición en español por acuerdo con Madas Livraria
   Editora Ltda. 02403-020. São Paulo (Brasil).

Edaf y Morales, S. A.
Oriente, 180, n.º 279. Colonia Moctezuma, 2da. Sec.
Delegación Venustiano Carranza. C.P. 15530. México D.F.

Edaf y Albatros, S. A.
San Martín, 969, 3.º, Oficina 5.
Buenos Aires, Argentina.

Depósito legal: M. 25.646-1999
ISBN: 84-414-0547-6

PRINTED IN SPAIN   IMPRESO EN ESPAÑA

Closas-Orcoyen, S. L. - Pol. Ind. Igarsa - Paracuellos de Jarama (Madrid)

*Agradezco a mi esposa, Rita de Cássia,
el apoyo que recibí para concretar esta obra.*

*Dedico este trabajo a mi esposa, Rita de Cássia;
a mi madre, Alicia Requena, y a mis hijas,
Juliana y Diana, por todo el amor que recibí
siempre de forma incondicional.*

*La añoranza es una flor tan pequeña que sólo se encuentra en el
jardín de la separación. La añoranza no mata, pero martiriza el
corazón.*

Índice

Cuando se nos cierra una puerta en la vida, hay siempre otra que se abre. Lo malo es que, en general, miramos con tanto pesar y resentimiento a la puerta cerrada que no nos damos cuenta de la que se abrió.

Se ama más a lo que se conquista con esfuerzo.

El futuro dependerá de aquello que hacemos en el presente.

Elija con cuidado a su cónyuge. De esa decisión única resultará el noventa por ciento de toda su felicidad, o de toda su desgracia.

*La prisa es enemiga de la perfección. Dijo el Maestro Jesús: Bien-
aventurados los calmados que a ellos les pertenecerá la tierra.
La calma proporciona discernimiento, serenidad, centralización,
y abre el camino a la evolución espiritual.*

*Si usted sabe volar, no se desprenda de sus alas con pena por los
que no saben. No sea infeliz o pobre porque existan tantos infelices y miserables.*

No es descendiendo como puede levantar a los que están abajo. Suba y muéstreles el camino. La lámpara apagada jamás iluminará la oscuridad.

Prólogo

A MEDIDA que la ciencia progresa con relación al conocimiento y funcionamiento de nuestro cuerpo físico, más necesario se hace replantearse y estudiar al hombre como un todo.

La Medicina convencional está alcanzando un desarrollo fantástico cada día, contribuyendo de forma extraordinaria a aumentar la calidad de nuestra expectativa de vida.

Al mismo tiempo, el cuerpo humano debe ser comprendido como un todo, incluyendo el significado de las teorías expuestas por Albert Einstein, que ya se han introducido en el medio académico, a fin de que tratemos al cuerpo humano de forma holística.

Las teorías energéticas o vibratorias están conquistando su espacio entre la clase médica, a pesar de que todavía no estén vinculadas, oficialmente, con la Medicina tradicional.

Se están impartiendo seminarios de Reiki en todo el mundo, a un número cada vez mayor de profesionales médicos, que tratan de aprender el método Reiki, con el fin

Agradezco a las personas que me rechazaron y que me dijeron no. Por causa de ellas, he obrado por mí mismo, y he llegado hasta aquí.

de canalizar la energía curativa para complementar el tratamiento convencional.

La terapia energética o vibratoria no sustituye a la Medicina convencional, igual que la medicina convencional no sustituye a la terapia energética; cada una actúa en campos diferentes del mismo ser humano. Ambas coexisten y se complementan en el hecho de mejorar las condiciones de vida del ser humano en el Universo.

La Medicina es la ciencia indicada para emitir diagnósticos; en consecuencia, consulte siempre al médico, y siga las instrucciones que él le da; haga correctamente el seguimiento médico que corresponda a su caso y benefíciese con la terapia Reiki complementando, agilizando e integrándose en su curación.

En la eternidad el tiempo no cuenta.

Introducción

E L REIKI no puede ser aprendido por medio de libros, folletos, ni cintas de vídeo o de audio; para convertirse en un practicante es necesario recibir, personalmente, la iniciación (sintonización) por parte de un maestro debidamente capacitado para ello.

Tras la iniciación, este libro puede convertirse en una guía para el practicante nuevo; no obstante, de ninguna manera puede ser considerado como un manual de autoaprendizaje.

Quien se disponga a practicarlo sin la debida iniciación, no estará utilizando la energía Reiki, y sí estará comprometiendo su propia energía con resultados perjudiciales para su salud.

Para utilizar la técnica Reiki, es imprescindible encontrar antes un maestro capacitado.

Usted no es un ser humano que está pasando por una experiencia espiritual. Usted es, en realidad, un ser espiritual que está vivenciando una experiencia humana.

Parte I
PRIMER NIVEL

Capítulo 1

Bienvenido al Reiki

1.1. ¿Qué es el Reiki?

Reiki es una palabra japonesa que significa energía vital universal; en la actualidad, esa palabra se está utilizando para identificar el Sistema Usui de Curación Natural (Usui Shiki Ryoho), nombre dado en homenaje a su descubridor, Mikao Usui.

Rei significa universal y se refiere a la parte espiritual, a la esencia energética cósmica, que interpenetra todas las cosas y circunda todos los lugares.

Ki es la energía vital individual que rodea nuestros cuerpos, manteniéndolos vivos, y está presente, fluyendo, en todos los organismos vivos; cuando la energía Ki sale de un cuerpo, ese cuerpo deja de tener vida.

El Reiki es un proceso de encuentro de esas dos energías: la energía universal con nuestra porción física, y ocurre después de que la persona es sometida a un proceso de sintonización o iniciación en el método, hecho por un maestro capacitado.

Todo el universo fluye como el agua; para sentirlo, no lo retenga. Simplemente abra sus manos.

El Reiki es una energía semejante a ondas de radio, y puede ser aplicada con eficacia, tanto localmente como a distancia; no es como la electricidad, no produce cortocircuitos, no destruye los nervios ni los tejidos más frágiles. Es una energía inofensiva, sin efectos secundarios, sin contraindicaciones, compatible con cualquier tipo de terapia o tratamiento. Es práctica, segura y eficiente, y, por medio de la técnica, equilibra los siete chakras o centros de fuerza sutil de energía, localizados entre la base de la columna y la parte superior de la cabeza.

Cuando hacemos uso de la energía Reiki estamos aplicando energía-luz, tratando de recuperar y mantener la salud física, la mental, la emocional y la espiritual; es un método natural de equilibrar, restaurar, perfeccionar y curar los cuerpos, creándole un estado de armonía al ser.

1.2. Reiki. Ventajas y beneficios

El Reiki se encuentra al alcance de todos, inclusive de los niños, ancianos y enfermos. Todos podemos ser un canal de Reiki; no existe límite de edad, ni exige ninguna condición previa.

El entrenamiento de la técnica no dura mucho, y cada nivel puede enseñarse en seminarios de un solo día.

La técnica es segura, sin efectos secundarios ni contraindicaciones, siendo compatible con cualquier otro tipo de terapia o tratamiento.

No es un sistema religioso o filosófico que proponga restricciones ni tabúes. No utiliza talismanes, rezos, men-

Cuanto más dé, más recibirá.

talizaciones, visualizaciones, fe, ni ningún objeto, para su aplicación práctica.

Esta técnica no queda obsoleta; sigue siendo la misma desde hace millares de años.

Tras la sintonización energética que ocurre durante el seminario, usted podrá aplicar Reiki, inmediatamente, durante el resto de su vida, a pesar de que deje de practicarlo durante un largo periodo; y no existe la necesidad de una nueva activación para el mismo nivel.

La energía no está polarizada, no tiene positivo ni negativo (yin y yang).

El Reiki es semejante a una onda de radio, y puede aplicarse adecuadamente en el mismo lugar o a distancia.

Está por encima del tiempo y el espacio, permitiendo de esta forma reprogramar acontecimientos pasados y coordinar acontecimientos futuros.

La energía no es manipulativa; el practicante coloca simplemente las manos y la energía fluye en la intensidad y en la calidad determinada por quien la recibe.

No es necesario desnudar al paciente durante la aplicación, pues la energía penetra a través de cualquier cosa.

El terapeuta no necesita conocer el diagnóstico de la patología para efectuar con éxito el tratamiento.

El Reiki energiza y no desgasta al practicante, pues la técnica no utiliza el «Chi» o «Ki» del practicante, y sí la Energía Vital del Universo.

El Reiki es un recurso óptimo para equilibrar los siete chakras principales, que están localizados desde la base de la columna a la parte superior de la cabeza.

El Reiki alivia rápidamente los dolores físicos.

Nada de lo que usted imagina es imposible.

Considera a la persona de forma holística, en los cuerpos físico, emocional, mental y espiritual, no teniendo en cuenta solamente la supresión de la patología, sino devolverla a un estado natural y deseable de bienestar y felicidad. La práctica Reiki está incorporada al contexto de las prácticas terapéuticas alternativas reconocidas por la Organización Mundial de la Salud (O.M.S).

Puede utilizarse tanto en el tratamiento de uno mismo, como en el tratamiento de otras personas, plantas y animales.

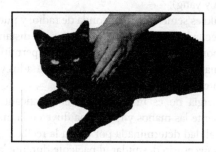

1.3. Cómo funciona el Reiki

La cultura occidental está basada en una concepción newtoniana-cartesiana, que apuesta por el estudio de las partes para llegar al todo. Esta concepción se encuentra hoy muy cuestionada; la propia física cuántica, a través de investigaciones sobre el átomo y la energía nuclear, demuestra que, en el nivel más ínfimo, la materia es al mismo tiempo energía.

Fue necesario recorrer cada curva del camino para que llegáramos hasta aquí.

Los científicos modernos han analizado el mundo con un grado increíble de sofisticación. El mundo material está dividido en partículas cada vez más pequeñas y, al final, lo que encontramos son ondas de energía (cuantos). Descubrimos la verdad simple de que la energía precede a la materia, así como las emociones y pensamientos preceden a la acción.

Esa visión del mundo, nueva en Occidente, antiquísima en el Oriente, propone que todo lo que existe es energía. La energía es la realidad básica que se condensa, se equilibra y forma la materia.

Con la formula moderna de Albert Einstein ($E = mc^2$) quedó probado científicamente que materia y energía son convertibles e intercambiables. Por ejemplo, los elementos plutonio y uranio enriquecidos pueden ser transformados en energía pura —explosiones—, como ocurrió en Hiroshima y Nagasaki; y también que se puede transformar la energía en materia, ya que son dimensiones de la misma realidad.

Desde los tiempos de las medicinas china, tibetana e india, e incluso desde la época de los alquimistas medievales, existen técnicas milenarias que nos enseñan que la materia, efectivamente, se transforma y puede ser moldeada con la intervención de una energía mayor.

La energía es energía; no existe energía mala; solamente existe energía bien o mal dirigida. En una persona sana, la energía atraviesa libremente por nuestro cuerpo físico, fluyendo por «caminos»: chakras, meridianos energéticos y nadis. También rodea al campo energético, al cual denominamos aura. Esa fuerza energética nutre nuestros órga-

Retener es perecer.

nos y células, y regula las funciones vitales; cuando se blo-
quea esa energía y se interrumpe la circulación de esa energía, ocurre una disfunción en los órganos y tejidos de
nuestro cuerpo.

En virtud de excesos físicos, emocionales, mentales y
espirituales, liberamos energías, y esas liberaciones gene-
ran «nudos energéticos» o «bloqueos energéticos» que in-
terrumpen o impiden el flujo normal de la energía vital,
originando una disfunción en los órganos y tejidos del
cuerpo, lo que, en consecuencia, causa la enfermedad, en
razón del funcionamiento deficiente o el mal funcionamiento de los órganos y de las glándulas.

La técnica Reiki utiliza la energía total, de la cual está
constituido todo el universo; es esa energía original de
todo y de todos los seres la que captamos y canalizamos
tras la iniciación (sintonización) y activación de los centros energéticos (chakras).

Después de estar sintonizados, pasamos a ser canales de
esta energía cósmica, pudiendo así dirigirla colocando las
manos sobre la zona afectada. Las manos emiten vibraciones que disuelven los nudos perjudiciales. De este modo,
llegamos a intervenir efectivamente en la materia, en otros
campos de energía y en la conciencia, lo que conduce a un
estado natural de bienestar, plenitud, armonía y equilibrio.

El Reiki cura al pasar a través de la parte afectada de
nuestro campo energético, elevando el nivel vibratorio
dentro y fuera de nuestro cuerpo físico, donde se alojan
sentimientos y pensamientos en forma de nódulos energéticos, que actúan como barreras para nuestro flujo normal de
energía vital; son muchos los que conviven con esas barre-

Cada ser es responsable por su evolución; esta es la Ley del
Libre Albedrío.

ras a lo largo de toda una vida, reduciendo al mínimo su calidad de vida.

En una sesión de Reiki, la cantidad de energía recibida por el paciente está determinada por el propio paciente, toda vez que el terapeuta reikiano se limita a dirigir la energía y el proveedor —el Cosmos— la entrega de forma ilimitada.

De la misma forma que Dios, en su misericordia, nos dio alimento, también colocó entre las hierbas del campo bellas flores curativas para cuando estuviéramos enfermos.

Capítulo 2

La historia del Reiki

2.1. Antecedentes del Reiki y su redescubrimiento

EL ARTE DE COLOCAR las manos sobre un cuerpo humano o animal, para reconfortar y disminuir los dolores, es un antiguo instinto humano; cuando sentimos dolores, lo primero que hacemos es colocar intuitivamente las manos sobre la zona que nos está doliendo. El toque humano distribuye calor, serenidad y curación. Cuando un animal lame una herida, está actuando bajo los mismos instintos que el ser humano cuando se coloca las manos.

Esa fuerza (energía vital) ha recibido distintos nombres en cada cultura: los polinesios la llaman *mana;* los indios iroqueses americanos, *orenda;* en la India se la conoce como *prana;* en hebreo es *ruach; barraka* en los países islámicos; *chi* en China; en el Japón, a esta energía se la conoce como *ki;* y para los rusos es *energía bioplasmática.*

En el Tíbet existen registros de técnicas de curación por medio de las manos desde hace más de ocho mil años. Esas

Jesucristo dice que tú mismo o el menor de nosotros es capaz de realizar todo lo que Él realizó, e incluso mucho más. Usted puede ser un Realizador de Milagros.

técnicas se expandieron por Grecia, Egipto, India y otros países, a pesar de que la técnica permaneció perdida durante los últimos dos milenios.

Existen hechos que indican que Jesús practicó el Reiki en Egipto. Jesús aplicaba la técnica con mucho éxito, y también les decía a sus apóstoles «curad a los que estén enfermos». Hasta hoy día, algunos sacerdotes católicos conservan técnicas de imposición de manos.

Existen personas que poseen habilidades personales, utilizando o no, las manos (los llamados paranormales); les recomendamos a esas personas que entren en contacto con el Reiki, con el fin de potenciar y dirigir la energía, agregando poder al que la naturaleza ya les ha otorgado.

2.2. Mikao Usui. El redescubridor del Método

Mikao Usui (*ver foto*), nacido en Japón el 15 de agosto de 1865; no poseemos datos oficiales detallados de su historia. Existen controversias al respecto de la vida del redescubridor del método Reiki; su historia fue transmitida oralmente de maestro a discípulo, permaneciendo envuelta en mucho misterio. Con el transcurrir de los años sufrió varias alteraciones, con el fin de que el método pudiese ser introducido en Occidente, principalmente en lo que concierne a su formación profesional y a su religiosidad; no obstante, la esencia, que puede que-

---

No hay nada mejor para ser feliz que sustituir las preocupaciones por ocupaciones.

dar mejor descrita como una leyenda, se la conoce por haber sido transmitida de generación en generación.

Mikao se hizo sacerdote católico. Además de ser sacerdote cristiano, impartía lecciones y era rector de una pequeña universidad cristiana en Kioto (Japón), la Doshisha University.

Usui escuchaba y leía muchas historias sobre Jesús, que en el pasado, mediante la imposición de las manos y siguiendo una técnica específica, realizaba curaciones, milagros, y ayudaba a otras personas en sus habilidades metafísicas; curioso, observaba que una gran parte de las personas eran infelices e improductivas, asoladas por estados represivos y enfermizos; situaciones que lo indujeron ardientemente a conocer también las habilidades curativas.

Cierto día, durante una discusión con un grupo de seminaristas que concluían su formación, le preguntaron al doctor Usui si creía literalmente en la Biblia. Al responder afirmativamente, sus estudiantes le hicieron recordar las curaciones realizadas por Cristo. Los estudiantes mencionaban las palabras de Cristo: «Harás como yo he hecho, y también las cosas grandes».

Se preguntaban por qué no existían en el mundo de hoy otros sanadores que actuasen de la misma manera que Cristo, pues Él había pedido a sus apóstoles que «curasen a los enfermos y resucitasen a los muertos». Si eso es verdad, enséñenos los métodos, inquirieron los alumnos; queremos saber cómo podrían llevarse a cabo hoy también aquellas curaciones. Le dijeron que no era suficiente con que ellos creyeran; querían ver con sus propios ojos cómo Jesús realizaba la curación. Mikao Usui no podía dar res-

Para transformar un sueño en realidad, deberá ser perseverante y hacer todo lo necesario para que ocurra. Sea perseverante y las cosas sucederán.

puesta a las dudas planteadas por los estudiantes porque
no la tenía. Sin embargo, no podía quedar sin respuesta, ni
para sí, ni para sus estudiantes. Usui no tenía cómo enseñar la fórmula de armonización del cuerpo tal como Jesús
la transmitió a sus discípulos; simplemente tenía fe en las
escrituras. El doctor Usui permaneció callado, pues, de
acuerdo con la tradición japonesa, había sido ultrajado en
su honra como profesor y rector, en virtud de no haber podido responder las preguntas de sus discípulos. En ese
mismo día pidió dimitir de sus funciones y se decidió a
buscar las respuestas a este gran misterio.

Como la mayoría de sus profesores habían sido misio-
neros norteamericanos, y los Estados Unidos era un país
predominantemente cristiano, decidió iniciar sus estudios en la Universidad de Chicago, en el seminario teoló-
gico, auspiciado por el intercambio cultural de la dinastía
Meigi.

En 1898, Mikao viajó a los Estados Unidos, donde estudió teología, cristianismo y la Biblia, y, tras siete años de
estudio, se doctoró en teología. Estudió lenguas antiguas
para poder leer las antiguas escrituras, inclusive el chino y
el sánscrito, la lengua más antigua de la India. Tras este largo periodo de estudios, al no haber encontrado las respuestas, decidió que debería continuar sus investigaciones
en algún otro lugar.

En aquel momento, tropezó con el hecho de que Gau-
tama el Buda (620-543 a. de C.) también era conocido por
sus curaciones de ciegos, de enfermedades tales como la
tuberculosis y la lepra, entre otras, y resolvió, por ello, regresar a Japón, a fin de investigar más sobre las curaciones

Lo importante no es vencer todos los días, sino luchar siempre.
La honra no consiste en no caer nunca, sino en levantarse cada
vez que se cae.

realizadas por el Buda, con la esperanza de hallar la clave para la curación.

El principal centro budista se hallaba en Nara, no obstante, en Kioto había cerca de 880 templos y monasterios, e incluso un templo Zen que poseía la mayor biblioteca budista del Japón, donde podría investigar las escrituras de los Sutras referentes a las curaciones del Buda.

Durante siete años, Mikao Usui peregrinó en busca de las Antiguas Escrituras en las bibliotecas, y de monasterio en monasterio; entretanto, cada vez que tenía cerca algún monje budista, se dirigía a ellos y les preguntaba si tenían conocimiento de alguna fórmula en relación con las curaciones realizadas por el Buda, y siempre recibía la respuesta de que, en aquel momento, estaban muy ocupados con la curación del espíritu para poderse preocupar con la curación del cuerpo. Después de numerosas tentativas, llegó a un monasterio zen y, por primera vez, fue alentado por un anciano monje que estuvo de acuerdo en que podría ser posible curar el cuerpo, como ya lo había hecho el Buda; y además, que si había sido posible una vez, debería existir la posibilidad de descubrir nuevamente la fórmula de curación. Pero le advirtió que, durante muchos siglos, toda la concentración se había puesto en la curación del espíritu.

Mikao decidió que iba a estudiar los Sutras en el Tíbet y, en vista de que dominaba bien el sánscrito, viajó a la India, y en una de sus investigaciones en un antiguo manuscrito de un discípulo anónimo del Buda, escrito en ese idioma, encontró los cuatro símbolos sagrados de la fórmula utilizada por el Buda para curar.

La meditación le brinda una oportunidad de vislumbrar su Yo invisible.

Los Sutras, escritos hace más de 2.500 años, ponían en movimiento una energía sumamente poderosa capaz de conducir a un poder ilimitado de curación; sin embargo, una simple fórmula sin las explicaciones de cómo usarla, y sin poseer la debida capacidad de activarla, no le otorgaba la habilidad de curar.

2.3. La meditación de Mikao Usui

En 1908, en el Japón, Mikao decidió iniciar un periodo de ayuno y meditación de veintiún días, como lo habían hecho los antiguos maestros, con el fin de purificarse para recibir una visión que lo esclareciese. Dejó, entonces, el monasterio y se retiró al Monte Kurama, la montaña sagrada, situada aproximadamente a 25 kilómetros de Kioto, llevando los Sutras encontrados por él en el Tíbet y, escasamente, un recipiente de piel de cabra con agua y veintiuna piedras, que le servirían de calendario, arrojando cada día una de ellas. Mientras pasaban los días, Mikao, en ayuno absoluto, sentado cerca de un pino, escuchando el sonido de un riachuelo, permaneció meditando, orando, entonando cánticos, leyendo los Sutras y pidiendo al Creador que le diese el discernimiento necesario para utilizar los símbolos.

El ayuno y la meditación ampliaron las fronteras de su conciencia, y en la madrugada del vigésimo primer día, Mikao tuvo una visión en la que vislumbró una intensa luz blanca que le golpeó de frente, proyectándole fuera del cuerpo; y, sintiendo la conciencia profunda en comunica-

La conciencia es una ventana. Una especie de ventana que permite que usted vea todo.

ción con su «Yo» mental, al abrir totalmente su conciencia, pudo ver muchas luces en forma de burbujas coloridas
que contenían en su interior símbolos sagrados, y, a través
de la comunicación que estaba recibiendo, le fue dada la
comprensión de los significados de los símbolos y la utilización de los mismos.

En aquel momento, Mikao recibía su iniciación, el conocimiento de cómo utilizar los símbolos y de cómo activar el poder en otras personas, rescatando así el método
milenario de terapia.

2.4. Mikao Usui y los primeros milagros del Reiki

Cuando concluyó el trance que le trajo la visión, el doctor Usui se sintió bien, sin hambre, lleno de energía, fuerte y en total plenitud, hasta el punto de lograr caminar de
regreso al monasterio. Se sentía totalmente diferente a los
últimos momentos que precedieron al final de los veintiún
días de meditación. No seguía sintiendo los esfuerzos del
retiro y del ayuno, y se levantó con entusiasmo y comenzó a descender la montaña; ese fue el primer milagro de
aquella mañana.

Durante el descenso de la montaña, con la prisa de regresar con sus revelaciones recientes al monasterio zen
donde vivía, Mikao sufrió un accidente, al tropezar en una
piedra, haciéndose bastante daño, hasta el punto que el pie
le comenzó a sangrar y a dolerle mucho; instintivamente,
Mikao impuso las manos y, en poco tiempo, se le pasó el

No sea impaciente con el Universo.

dolor y se detuvo la hemorragia; ese fue el segundo milagro. Usui tenía consigo la clave de la armonización que
tanto había buscado. El tercer milagro se produjo durante
el camino de regreso al monasterio, cuando se detuvo en
una posada para comer. El hombre, ya anciano, que lo
atendió, viendo la longitud de su barba y el estado de sus
ropas, comprendió que había permanecido en ayuno durante un largo periodo, y lo animó a comer un tipo especial de pan, ante el peligro de romper un ayuno con comi-
da demasiado abundante. El doctor Usui rechazó la suge-
rencia y pidió el café completo. Sentado en un banco bajo
un árbol, se comió los alimentos sin ningún problema de
digestión (este fue el tercer milagro).

Mikao se percató de que la nieta del hombre que le había servido estaba llorando, y que una parte de su rostro
estaba hinchada y enrojecida. Le preguntó qué le estaba
sucediendo, y la niña le respondió que tenía dolor de mue-
las desde hacía tres días, y que su abuelo era muy pobre
para llevarla al dentista en Kyoto. El monje se ofreció para
ayudar y le tocó en el lugar donde le dolía. El cuarto milagro ocurrió a medida que el dolor y la hinchazón desaparecieron.

Tras 25 kilómetros de caminata, al llegar al monasterio
zen, el doctor Usui se enteró de que su amigo, el anciano
abad, estaba en la cama con un ataque doloroso de artritis,
mal que ya lo afligía desde hacía muchos años. Mikao se
fue a visitar al amigo y, mientras hablaba de sus experiencias con el monje, colocó sus manos sobre la zona afectada, y muy rápidamente desaparecieron los dolores. Le comunicó al monje que había encontrado aquello que bus-

La salud es algo más que la ausencia de enfermedad.

caba desde hacía tantos años; le contó sobre la meditación y la visión, y le dio el nombre de Reiki a la energía que le había aplicado.

Nuevamente fue alentado por el abad y, tras alguna discusión, decidió trabajar con su descubrimiento entre los mendigos de la ciudad de Kioto.

2.5. El Reiki y el inicio de la divulgación

El próximo paso de Mikao Usui era poner en práctica el Reiki de la mejor forma posible. Tras unas cuantas semanas de permanencia con los monjes en el monasterio, donde el asunto fue bastante discutido, principalmente con su amigo el anciano abad, se decidió a llevar el Reiki al mundo, practicando lo que había descubierto más allá de los muros del monasterio.

Decidió que trabajaría en barrios pobres, donde las personas no tuviesen condiciones económicas para tratarse sus problemas de salud con médicos herbolarios y acupuntores. Se convirtió en vendedor ambulante de verduras en cestos, con el fin de sobrevivir y encontrar a esas personas necesitadas, y enseguida se familiarizó con los mendigos de Kioto y con todas las personas marginadas por la sociedad de su época, con el propósito de hacer que fuesen más felices, provechosas y dignas.

Su intención era curar a los mendigos y pedigüeños para que pudiesen recibir nuevos nombres en el templo y se reintegrasen de esa forma a la sociedad. Curó, primero,

De hecho, todo lo que usted tiene es el día de hoy y, tal vez, la próxima semana. Pero, con seguridad, el día de hoy.

a los más jóvenes y habilidosos, y los mandó buscar trabajo en la ciudad para que pudiesen vivir mejor; hizo lo mismo con los más viejos y los orientó para que se ganaran la
vida sin mendigar. Logró alcanzar los resultados esperados
y muchos se curaron totalmente.

Cumplida esa etapa, se puso a recorrer las ciudades y aldeas repletas de indigentes y enfermos, ayudándolos con la
técnica que poseía. Trabajó durante tres años junto a los
alienados de la sociedad y, después de esa peregrinación
por las ciudades y aldeas del Japón, regresó a Kioto donde,
para su decepción y tristeza, constató que muchos de los
que había ayudado e inducido a mantenerse con el trabajo honrado, habían vuelto a la mendicidad, en las mismas
condiciones anteriores de miseria. Intrigado, les preguntó
por qué, pudiendo trabajar, no lo hacían. Le respondieron
que era más fácil mendigar que esforzarse en el trabajo.

En aquel momento comprendió que el esfuerzo realizado para beneficiar al prójimo, al que había dedicado tantos
años de su vida en investigar y descubrir, y en ofrecer, parecía no ser suficiente; se dio cuenta de que había curado
el cuerpo físico de los síntomas, pero no les había enseña-
do cómo apreciar la vida bajo un nuevo modo de vivir.
Descubrió que aquellas personas no habían aprendido
nada respecto a la responsabilidad, y tampoco en cuanto a
la gratitud. Percibió entonces que la cura del espíritu,
como la predicaban los monjes, era tan importante como
la cura del cuerpo, en vista de que, con la aplicación del
Reiki, sólo había validado y ratificado la condición de
pedigüeños de aquellas personas. La importancia del intercambio de energía se hizo patente para él: las personas

*Las personas van a seguir siendo exactamente como son, inde-
pendientemente de la opinión que usted tenga de ellas.*

necesitaban devolver aquello que habían recibido o la vida para ellos carecería de valor.

En esa ocasión, el doctor Usui estableció los cinco principios del Reiki.

Mikao dejó el trabajo con los mendigos y resolvió enseñar a quienes deseaban conocer más; enseñaba a sus discípulos cómo curarse a sí mismos y les mostraba los principios del Reiki para ayudarles a alcanzar la armonía de los cuerpos físico, emocional, mental y espiritual.

Mikao Usui practicaba el método Reiki inspirado solamente por ideales amorosos. El Reiki, hasta entonces, consistía nada más que en el uso de la energía, los símbolos sagrados y el proceso de iniciación.

Mikao, tras su peregrinación, caminando por todo el Japón e invitando a todas las personas que sentían tristeza, depresión y dolor físico a que asistieran a sus charlas sobre Reiki, fue condecorado por el emperador del Japón, por sus curaciones y enseñanzas practicados con ideales amorosos. Antes de fallecer, el 9 de marzo de 1926, Mikao Usui otorgó el maestrazgo del conocimiento de Reiki a dieciséis personas, mediante el mismo método tradicional milenario, el «método de boca a boca» y, entre los contemplados, se destacó el doctor Chujiro Hayashi como para ser su sucesor, entregándole la responsabilidad de transmitir y mantener intacta la tradición Reiki.

La iluminación exige que usted asuma la responsabilidad por su modo de vida.

2.6. Los cinco principios del Reiki

Éstos fueron los principios dejados por el doctor Mikao Usui para que fueran transmitidos a lo largo del tiempo:

Principios del doctor Mikao Usui

1. En el día de hoy, no sienta rabia ni se ponga de mal humor.
2. En el día de hoy, abandone sus preocupaciones.
3. En el día de hoy, agradezca sus bendiciones, respete a sus padres, maestros y a los más ancianos.
4. En el día de hoy, haga su trabajo honradamente.
5. En el día de hoy, muestre amor y respeto y sea gentil con todos los seres vivos.

2.7. Chujiro Hayashi: La continuidad del trabajo

Chujiro Hayashi (*ver foto*), nacido en 1878, procedía de una familia de personas bien educadas que acumulaban una considerable fortuna y posición social. Doctor en Medicina y comandante de la Marina Imperial Japonesa, hablaba inglés, y a los 49 años, ya en la reserva de la Marina,

---

Ese ser completo que es el ser humano no puede funcionar de forma armoniosa cuando sus componentes están en conflicto.

buscaba un modo de ayudar a los demás, cuando, en una de sus charlas, conoció al doctor Usui y, por ser joven y estar jubilado, decidió viajar con él, acompañándolo en su trabajo de curación y enseñanza. Hayashi fue uno de los alumnos más devotos de Mikao, habiéndose involucrado profundamente con las prácticas del Reiki tras haber recibido todas las enseñanzas.

En la década entre 1920 y 1930, el doctor Usui, sintiendo que su vida llegaba al fin, comunicó a los demás maestros que Hayashi era la persona escogida para continuar su trabajo, designándolo como su sucesor. Hayashi asumió la responsabilidad de difundir la técnica, formando nuevos maestros y asegurando que el Reiki continuase como él lo había practicado. De este modo, el doctor Hayashi fue el segundo Grand Reiki Master.

Hayashi, doctor en Medicina, consciente de la importancia del método, preservó el conocimiento de éste y fundó la primera clínica de Reiki en Tokio, cerca del palacio imperial; la clínica disponía de ocho camas; en cada una, dos expertos en Reiki trataban de sus problemas a las personas. En aquella época los riesgos quirúrgicos eran muy grandes debido a que la penicilina sólo se difundió en el mundo después de 1945. Hayashi no recibió apoyo financiero del Gobierno para su clínica; no obstante, consiguió mantenerla durante más de veinte años gracias a la ayuda de quienes podían pagar sus tratamientos, y gracias también a los excelentes resultados que obtenía. La clínica llegó a ser reconocida como una alternativa válida para todo tipo de problemas.

La muerte es nada más que otro lado del nacimiento. La persona muere aquí y nace en el más allá, y viceversa. La muerte es apenas una puerta. De un lado se entra, de otro se sale.

LA HISTORIA DEL REIKI

La clínica no sólo curaba, sino que también enseñaba a los nuevos discípulos la práctica del método; y los nuevos terapeutas salían también a curar a las personas que no podían movilizarse.

Hayashi mantuvo comprobantes detallados de tratamientos, acumuló una amplia documentación que demuestra que el Reiki encuentra la fuente de los síntomas físicos y revitaliza el cuerpo en su totalidad.

Esas informaciones fueron utilizadas por él para replantear las posiciones de la aplicación y sistematizar los niveles de Reiki. A esta técnica le puso el nombre de Usui Reiki. Tras la contribución del doctor Hayashi, el Reiki quedo estructurado, permitiendo que todas las personas de este planeta puedan utilizarlo sin conocimientos especiales previos.

Sabemos que Hayashi era un hombre práctico y con bastante criterio, que trabajó mucho en su clínica, haciéndola famosa y próspera, hasta el punto de que fuera visitada por el propio emperador japonés.

En 1938, el doctor Hayashi, como militar, presintió que estaba comenzando una gran guerra, y que morirían muchos hombres; decidió entonces otorgar el maestrazgo a su esposa y a la señora Hawayo Takata.

Chujiro Hayashi falleció un martes 10 de mayo de 1941, habiendo elegido antes a la señora Takata para dar continuidad a la propagación del Reiki, en el Japón y en otras partes del mundo, recordando siempre que, en aquella ocasión, había solamente cinco maestros vivos, y entre ellos su propia esposa, Chie Hayashi.

El conflicto es la violación de la armonía. Al involucrarse, usted formará parte del problema. No de la solución.

2.8. Hawayo Takata: El Reiki en Occidente
(En la foto) la maestra Hawayo Takata en 1975

Nacida en la Isla de las Flores, en Kawai, Hawai, archipiélago incorporado en 1898 al territorio de los Estados Unidos, era hija de campesinos inmigrantes japoneses, la pareja Kawamuru, Hawayo recibió su nombre en homenaje a la gran isla, agregando una «o» a la última letra que, en su lengua, designa los nombres femeninos.

Hawayo Kawamuru era hija de inmigrantes japoneses, trabajadores agrícolas, y no había sido favorecida con una estructura física tan fuerte como la de sus padres; era esbelta, medía alrededor de 1,50 metros de altura, manos frágiles, ojos vivos y alegres. Hawayo pedía a Dios que le permitiese hacer con sus manos algún otro tipo de trabajo que no estuviese ligado a la actividad agraria.

Hawayo trabajaba en los cultivos de bambú y de caña de azúcar, y posteriormente, alrededor de 1914, durante las vacaciones escolares, daba lecciones a alumnos del primer grado en una escuela religiosa. Trabajó también en una venta de bebidas gaseosas en Lihue, y después en una mansión colonial de una señora importante, donde permaneció durante veinte años, llegando a ser encargada al mando de los 20 empleados de la residencia. El 10 de marzo de 1917, Hawayo Kawamuru se casó con Saichi Takata, un joven contador que trabajaba en la misma residencia,

En lugar de estar contra el mal, esté a favor del amor.

con el que tuvo dos hijas. Entretanto, en 1930, con apenas 34 años de edad, su marido murió de cáncer del pulmón. El exceso de trabajo necesario para el mantenimiento de su familia, unido a la depresión y a problemas psicológicos importantes, afectaron gravemente su salud y, a los 35 años, Hawayo había desarrollado problemas pulmonares y un tumor abdominal.

Durante la ausencia de sus padres que, después de 40 años, habían regresado a Yamaguchi, Japón, a pasar un periodo de vacaciones de un año, una de las hermanas de Takata, recién casada y con solamente 25 años, murió de tétanos. Con mucha sensibilidad, Hawayo se dio cuenta de que la noticia era demasiado triste para dársela a los padres por correo, de modo que Takata resolvió comunicarles personalmente la noticia, ocasión que aprovechó para tratar de su salud en la Clínica Maeda, en Akasaka, donde había sido asistido su marido antes de fallecer.

En 1935, ya en el Japón, tras diez días con sus noches de viaje en barco, descubrieron que Takata sufría de un tumor abdominal, además de piedras en la vesícula y un problema en el apéndice, razón por la cual su estómago le dolía todo el tiempo, impidiéndole andar erguida.

Takata fue internada para ser sometida a una operación. Ya en el quirófano, minutos antes de la operación, Hawayo oyó una voz que, de manera repetida, afirmaba: «la operación no es necesaria». Sintió entonces que debía haber otro modo de curarla. El médico, al serle comunicado el «aviso», canceló la operación y le recomendó que recibiera un tratamiento de Reiki en la clínica Shina No Machi, del doctor Hayashi, donde comenzó a recibir tratamiento

Viva un día cada vez.

diario; y en cuatro meses estaba totalmente curada; había ganado cinco kilos y parecía estar diez años más joven.

Durante el tratamiento, Takata no entendía cómo las manos de aquellas personas que la trataban podían sentirse tan calientes, y llegó a buscar posibles pilas escondidas en los terapeutas.

Hawayo se sintió inclinada a aprender el Reiki, si bien, en la sociedad japonesa era un tesoro reservado a los hombres e inaccesible a los extranjeros. Después de haberle sido rechazada su primera solicitud, tras aportar el fuerte argumento de intentar ayudar a los inmigrantes japoneses nipo-americanos, le fue otorgado el permiso de aprenderlo, aceptando permanecer en el Japón trabajando en la clínica de Reiki todos los días a lo largo de aquel año. Takata quedó hospedada en casa de la familia del doctor Hayashi, y recibió el primer nivel de Reiki en la primavera de 1936. Trató muchos casos distintos con éxito, y aprendió que para tratar el efecto era preciso eliminar la causa.

Cumplidas con éxito las exigencias impuestas para el primer nivel, Takata recibió el entrenamiento del segundo nivel y quedó debiendo quinientos dólares. Regresó de inmediato a Hawai, sin que, hasta entonces, tuviese ninguna intención de hacerse profesional del Reiki. En octubre de 1936 se instaló con su familia en una casa en Hilo, en la Avenida Kilauea, donde, durante diez años, funcionó su primer consultorio.

Hawayo recibió en su casa la visita del doctor Hayashi y su hija, quienes permanecieron en Hawai, durante seis meses, pronunciando conferencias y haciendo demostraciones sobre el Reiki.

Quien enciende una luz es el primero en beneficiarse de la claridad.

En febrero del 1938, antes de que Hayashi dejara Hawai para regresar al Japón, comunicó a sus alumnos que Takata, a partir de aquel momento, era maestra de Reiki y estaba autorizada para transmitir la técnica. En consecuencia, era la séptima maestra del siglo XX en el mundo. Y la primera mujer en Occidente, y siguió siendo la única hasta el año 1970.

Podemos decir que el doctor Hayashi era un místico; fue capaz de sentir lo inminente de una guerra entre Japón y Estados Unidos, y, como reservista de la Marina, no podía conciliar el hecho de ser maestro de Reiki y tener que servir nuevamente a las Fuerzas Armadas.

En 1940, Takata soñó con su maestro Hayashi vestido con un quimono de seda blanca; Takata se quedó inquieta y resolvió viajar a Japón para ver a Hayashi. Cuando llegó a Japón, Hayashi le habló sobre la guerra, sobre quién sería el vencedor, y de lo que debería hacer, y dónde debería ir para evitar los peligros de su condición de ciudadana nipo-americana con residencia en Hawai. Todas las previsiones se confirmaron y ocurrieron con el objetivo de proteger la divulgación del Reiki.

Cuando se habían tomado todas las providencias necesarias para la preservación del Reiki, el doctor Hayashi reunió a la familia y los demás maestros, nombró a Takata como la sucesora del Reiki y comunicó a todos los presentes que su fallecimiento ocurriría en torno a las 13 horas de aquel mismo día.

A las 13 horas, el doctor Hayashi entró en la sala y anunció a todos la ruptura de una de las arterias de su corazón, y después de unos minutos, la ruptura de la segunda.

La muerte no es algo a lo que se deba temer. Es la vida en otra dimensión.

Su transición ocurrió tal como anunciara; sentado a la manera tradicional japonesa, cerró los ojos y dejó conscientemente su cuerpo entre los amigos. Vestía el mismo quimono que Takata había visto en el sueño y que le llevara a Japón.

En 1941, incluyendo a la señora Chie Hayashi, había solamente cinco profesores vivos de Reiki.

Takata se convirtió en una poderosa sanadora e introdujo el Método Reiki en el mundo occidental, constatando, de acuerdo con lo que le había sido transmitido por el doctor Hayashi, que todas las personas que eran iniciadas, gratuitamente, en el Reiki no percibían la grandeza del método, razón por la cual no le daban el debido valor. Por ello, aceptando la orientación del doctor Hayashi, decidió estipular precios para la iniciación en los diferentes niveles del Reiki.

Con el fin de tener una mejor comprensión de los aspectos físicos y técnicos de la anatomía humana, Hawayo Takata asistió a la Universidad Nacional de Medicina sin Medicamentos (National College of Drugless Physicians), en Chicago.

Durante treinta años impartió cursos y curó a personas, garantizando de este modo la divulgación del Reiki en el mundo; en ese periodo sintió la necesidad de transmitir la totalidad de las enseñanzas del Reiki, y entonces, para impedir un monopolio de esa práctica, inició a veintidós maestros, recomendándoles respetar el liderazgo de su nieta Phyllis Lei Furumoto, sucesora de Takata, y dándoles permiso para formar nuevos maestros después de su muerte.

El principal requisito para la felicidad es el control sobre los pensamientos.

Los maestros iniciados fueron:

- George Araki
- Phyllis Lei Furumoto (nieta de Takata)
- Bárbara McCullough
- Dorothy Baba
- Beth Gray
- Mary McFadyen
- Úrsula Baylow
- John Gray
- Paul Mitchell
- Rick Bockner
- Iris Ishikuro
- Bethel Phaigh
- Fran Brown
- Harru Kuboi
- Bárbara Weber Ray
- Patricia Bowling
- Ethel Lombardi
- Shinobu Saito
- Wanja Twan
- Bárbara Brown
- Virginia Samdahl
- Kay Yamashita (hermana de Hawayo Takata)

El 12 de diciembre de 1980 fallece Takata, y sus cenizas son enterradas en el templo budista de Hilo. Se reunieron los veintidós maestros, y resolvieron reestructurar y dar continuidad a la «American International Reiki Association (AIRA), con sede en Florida». Algunos maestros, debido a ciertas divergencias, crearon una segunda asociación, denominada «The Reiki Alliance».

2.9. Hechos y datos significativos en orden cronológico

Existen muchas controversias al respecto del material de consulta; por lo tanto, algunas fechas significativas son aproximadas:

Dios nunca nos da problemas cuyas soluciones no estén a nuestro alcance.

6000 a. de C.	Registros en el Tíbet de técnicas de curación por medio de las manos.
620 a. de C.	Nacimiento de Siddhartha Gautama (Sakyamuni Buda) en la India.
543 a. de C.	Muerte de Siddhartha Gautama en Kusingara (India).
500 a. de C.	Un discípulo del Buda deja registrado a través de los Sutras, en sánscrito, los símbolos de captación de energía.
1603 d. de C.	Japón cerró sus fronteras, prohibiendo el cristianismo, bajo pena de muerte.
1853	Los Estados Unidos piden al Japón un puerto libre, lo que les es negado.
1854	El Japón se rinde a los Estados Unidos y a sus aliados.
1865	Nace Mikao Usui, el 15 de agosto.
1861/ 65	Comienza la guerra de secesión en Estados Unidos.
1867	Comienza la era Meiji en Japón, con la subida al trono de Mutsu-Hito.
1870	Los jesuitas llevan nuevamente el cristianismo al Japón.
1875	Mikao Usui comienza como estudiante en un seminario cristiano.
1878	Nacimiento de Chujiro Hayashi.
1898	Mikao Usui viaja a Estados Unidos para estudiar.
1898	Hawai es anexionado al territorio de los Estados Unidos.
1900	El 24 de diciembre nace en Hawai Hawayo Takata.

El secreto de la felicidad es amar el deber y hacer de él un placer.

1908/09	Mikao Usui sube al monte Kurama para ayunar.
1915	Chujiro Hayashi conoce a Mikao Usui.
1917	El 10 de mayo se casa Hawayo con Saichi Takata.
1925	El doctor Hayashi es iniciado como maestro de Reiki, a los 47 años de edad.
1926	Muere Mikao Usui el 9 de marzo (deja de 16 a 18 maestros de Reiki vivos).
1935	Los padres de Takata viajan al Japón, de vacaciones por un año.
1935	Takata comienza su tratamiento de Reiki con el doctor Hayashi.
1936	Hawayo Takata recibe el primer nivel de Reiki en la primavera.
1936	En el invierno, Takata recibe el segundo nivel de Reiki.
1936	En octubre, Takata abre su consultorio en Hawai.
22/02/1938	Hawayo Takata es iniciada como maestra de Reiki en los Estados Unidos, durante la visita de seis meses de su maestro, Chujiro Hayashi.
1941	El 10 de mayo muere Chujiro Hayashi (deja cinco maestros de Reiki vivos).
1941/45	Guerra entre Japón y Estados Unidos.
1970	Takata inicia la formación de sus 22 maestros.
1970/83	Se crea la AIRA (American International Reiki Association).
1980	El 12 de diciembre, muere Hawayo Takata (dejando 22 maestros vivos).
1983	Nace la «Reiki Alliance».

Siempre queda un poco de perfume en las manos que ofrecen rosas.

Capítulo 3

Simbolismo del Reiki

3.1. El ideograma

La palabra Reiki puede escribirse con ideogramas japoneses, que, lo mismo que ocurre con los guarismos romanos, no expresan letra ni sonido, y sí una idea. Según el contexto, esos ideogramas pueden ofrecer varias lecturas, con los siguientes significados:

I.   Lluvia maravillosa de energía vital.
II. Lluvia maravillosa que da vida.
III. La idea de algo que procede del cosmos y que, en su encuentro con la Tierra, produce el milagro de la vida.
IV. Lluvia maravillosa que produce el milagro de la vida.
V.   La comunión de una energía superior con una de orden terreno, aunque se pertenecen mutuamente.
VI. Una energía maravillosa que se encuentra por encima de todas las demás, y que también está en usted, y que usted pertenece a ella.

Los pensamientos positivos le mantienen en armonía con el universo.

En algunos casos, ese ideograma se encuentra reforzado con pequeñas formas que representan granos de arroz, que simbolizan la vida.

3.2. El color

El color simbólico del Reiki es el verde, que es el color de la curación, así como del amor; guarda correlación con el chakra cardíaco, responsable por nuestro amor incondicional y por el sistema inmunológico.

Sus ideogramas son hechos en dorado, pues ese es el color cósmico; Reiki es luz que nos lleva de regreso a la gran luz.

El Universo da en abundancia cuando usted adopta una actitud de gratitud.

3.3. El bambú

El Reiki tomó de la naturaleza, como símbolo, el bambú que, en su simplicidad, resistencia al viento (cuando sopla fuerte), vacío, rectitud y perfección, puede representar, metafóricamente, el funcionamiento de la energía.

El bambú es flexible a pesar de ser fuerte; reverencia al viento que lo roza cuando sopla, se dobla a la vida, mostrándonos que cuanto menos se oponga un ser a la realidad de la vida, más resistente se volverá para vivir con plenitud. El bambú es fuerte, y sirve para la construcción de embarcaciones, muebles y edificaciones, es decir, todos los que recibieron el Reiki tienden a permanecer fuertes y resistentes.

Entre un nudo y otro, el bambú es hueco, vacío; como vacío es el espacio entre el cielo y la tierra, representando los que escogieron ser canales de Reiki, los cuales pasan a funcionar en ese vacío como verdaderos «tubos» canalizadores de energía cósmica.

La rectitud sin igual del bambú, la perfección de su proyectarse hacia las alturas, así como sus nudos, los cuales simbolizan las diferentes etapas del camino, simbolizan el objetivo de nuestro itinerario interior, de nuestro crecimiento y de la evolución en dirección a la meta.

En el Japón, el bambú es una planta de buenos auspicios, de buena suerte; pintar el bambú es considerado no sólo arte, sino también un ejercicio espiritual. En algunas culturas africanas, el bambú es un símbolo de alegría, de felicidad, de vivir sin enfermedades ni preocupaciones, y

Si usted retrocede, le será más fácil observar a la humanidad como un todo.

es interesante observar cómo esa simbología tiene que ver con los principios del Reiki.

Representación usada por la «Reiki Alliance».

Decídase a ser saludable; despierte todas las mañanas con gratitud, y no permita ningún pensamiento nocivo. ¡Nunca!

Capítulo 4

Cómo convertirse en un canal de Reiki

4.1. El futuro reikiano

CONFORME se dijo en el capítulo 1, todos podemos ser un canal de Reiki; no existe límite de edad ni se exige condición alguna. El Reiki se encuentra al alcance de todos, inclusive de niños, ancianos y enfermos.

Todos nosotros, en determinados momentos de nuestra vida, pasamos por situaciones difíciles de sufrimiento, tanto personal como ajeno; no sólo sufrimiento físico, material, sino también emocional, psíquico y, en algunas ocasiones, espiritual. Hemos deseado eliminar el sufrimiento, nos habría gustado, al menos, poder minimizar aquel dolor, o ayudar a proporcionar alivio a quien teníamos cerca y nos hemos sentido completamente impotentes. Cuántas veces hemos pensado que, si pudiésemos disponer de algo para interactuar, para ayudar a aliviar los sufrimientos, la vida podría ser mucho mejor. Entonces, de alguna forma, llega a nuestro conocimiento que el Reiki está disponible para nosotros y que es inagotable.

Sea la curación. No la busque fuera de sí mismo.

En ese feliz momento se hace necesario buscar un maestro de Reiki habilitado en uno o en varios sistemas (Usui, Tibetano, Osho o Kahuna) y participar de un seminario de sintonización.

Reiki es una energía de amor que pasa a través de nuestro corazón, por nuestro chakra cardiaco. Cuando nos convertimos en Canal de Reiki, somos tan sólo un medio a través del cual fluye la energía del amor universal. Nos damos cuenta, tras la activación energética promovida por un maestro habilitado, de que somos capaces de ayudarnos y proporcionar ayuda al prójimo que lo necesite, pudiendo hacer fluir por nuestras manos la energía vital, curativa, cósmica, espontánea e ilimitada con un simple gesto. Es tan simple que nos resistimos a creerlo. ¡Es increíble!

En ese momento se abre para nosotros un mundo totalmente nuevo, diferente, que, al principio, no podemos aceptar que pudiera existir; entretanto, necesitamos permanecer alerta para no permitir que ese reconocimiento venga a alterar nuestro ego, lo cual entorpecería nuestro propio proceso evolutivo.

A partir del momento de la iniciación, se abre dentro de la persona una puerta que, una vez traspasada, lo introduce en una nueva realidad. El iniciado se convierte en un verdadero canal de la Energía Reiki, o sea, tendrá siempre contacto con esa energía universal y podrá aplicarla cuando quiera; y sólo con imponer las manos, la energía fluirá.

Viva este momento. Desde siempre, sólo existe el ahora.
El ahora es la unidad productiva de su vida.

4.2. El proceso de iniciación

Ese proceso de iniciación se hace necesario, pues, en su origen, el hombre mantenía sus canales de energía intactos, generando felicidad y armonía; con el proceso de olvido de nuestro origen, ante la individualización extrema y la evolución de los sentimientos de egoísmo y orgullo, estrechamos estos canales de comunicación, dejamos de usarlos y terminamos no recibiendo toda la energía necesaria para nuestro bien vivir. Llegamos a retener solamente la energía indispensable al sustento de nuestro proceso bioquímico para la supervivencia.

La iniciación es una ceremonia sagrada, y el contacto se restablece a través del maestro que lo habilita como canal de energía. Un verdadero maestro de Reiki recibe una serie de transmisiones de energía y se encuentra apto para activar, aplicar y enseñar a los demás. El maestro de Reiki no ejerce poder sobre sus estudiantes; es, simplemente, alguien que escogió aceptar la gran responsabilidad de transmitir a los interesados el conocimiento que adquirió en su destino.

Mikao Usui redescubrió el modo de volvernos a religar a la energía vital del universo. «Religare», ese proceso al cual se dio primeramente el nombre de iniciación, es hoy denominado proceso de ajuste o sintonización, indicando que la persona está ajustada o sintonizada con el Reiki, a semejanza de la sintonización que se lleva a cabo en una radio o televisor, a una determinada frecuencia o estación. Podemos, también, denominar armonización a ese proce-

En nuestro mundo material, si algo ocurre, no puede volverse atrás.

so, por el hecho de ser un poderoso vehículo de concilia-
ción de todos nuestros cuerpos.

En el proceso de iniciación, todos los canales de fuerza
del cuerpo, responsables de la captación y distribución de
nuestra energía, son reactivados para funcionar dentro de
los moldes originales, proporcionando el poder de curar y
armonizar, no solamente a nosotros mismos, sino también
a todos los que tocamos. Una vez realizada la iniciación,
ese canal de energía permanecerá abierto toda la vida, evitando que haya participación y desgaste de energías personales en los tratamientos. Con la iniciación, las manos
irradian vibraciones que fluyen a partir de la cabeza, cuando entran en contacto con zonas en desarmonía. Las
manos están aptas para curar enfermedades agudas y cró-
nicas.

Ese proceso es complementado a través de la utilización
de mantras (sonidos) y yantras (formas) que tienen el poder de potenciar la energía y romper las limitaciones de
tiempo y espacio.

La iniciación es una activación de los centros energéticos superiores (chakras), haciendo que nuestra vibración
y frecuencia aumenten y se transformen, pasando a niveles más elevados. Ese proceso incluye el nivel de la conciencia, y produce indefectiblemente, una gran transformación que impulsa a nuestro centro a subir desde el plexo solar hacia el chakra del corazón.

La sintonización del Nivel I se centra, principalmente,
en la apertura del cuerpo físico para que sea receptivo a la
gran cantidad de energía vital que va a recibir. Las cuatro
sintonizaciones que realiza el maestro en el Nivel I elevan

Cuando el alumno está listo, el maestro aparece.

la frecuencia vibratoria de los cuatro centros de la parte superior del cuerpo humano, que son también conocidos como chakras.

La primera iniciación armoniza el corazón y la glándula timo, al mismo tiempo que sintoniza el chakra del corazón con el cuerpo etérico.

La segunda armonización afecta la glándula tiroides y, en el campo etérico, ayuda a abrir el chakra de la garganta, que es nuestro centro de comunicación. La tercera iniciación afecta el llamado tercer ojo, que corresponde a la glándula pituitaria, nuestro centro de alta intuición y conciencia, y al hipotálamo, que actúa en el control y temperatura del cuerpo.

La cuarta armonización aumenta la apertura del chakra coronario, nuestra comunicación con la conciencia espiritual, que corresponde a la glándula pineal. Esa sincronización final completa el proceso, sellando el canal abierto, de tal modo que pueda mantenerse abierto por el resto de la vida, aun cuando no lo usemos durante un largo periodo de tiempo; entretanto, en el momento en que decidimos usarlo, estará a nuestra disposición. Durante el proceso de iniciación, la persona que está siendo activada podrá experimentar una serie de sensaciones, tales como: sentir mucha paz y armonía, un calor agradable, una profunda relajación, calor en las manos, tristeza profunda, llanto o amor. La persona también podrá visualizar maestros, ver luces, ver colores tales como: el azul celeste, el violeta, el dorado, e incluso proyectarse hacia el pasado. Ya tuvimos la oportunidad de asistir a muchas personas que visualizaron parientes desencarnados.

Haga lo que desee. Siempre que no interfiera en el derecho de otro de hacer lo mismo, ese es el principio de la moral.

4.3. Los veintiún días de limpieza energética

Tras la iniciación puede parecer que nuestra condición ha empeorado o presenta mayor gravedad; en realidad, estaremos pasando por un proceso de limpieza que no puede ser evitado. Ese proceso puede comportar graves crisis, pues estarán siendo erradicados bloqueos energéticos antiguos. Las toxinas e impurezas consideradas como basura energética se almacenan en el ser humano durante toda su vida, minimizando la calidad de vida; y durante esta eliminación serán desechadas todas las toxinas e impurezas de nuestros cuerpos físico, mental, emocional y espiritual.

La «limpieza» ocurrirá a través de las heces, la orina, el sudor, los pensamientos, los sueños, y en forma de los sentimientos negativos que se generaron. Tras la remoción de esos sedimentos, el cuerpo estará apto para funcionar de forma más armoniosa y positiva.

El practicante de Reiki, después de cada iniciación en diferentes niveles de la práctica, podrá sentir reacciones emocionales (rabia/amor), magnéticas (rechazo/atracción), mentales (pensamientos/confusiones) y espirituales (construcción/destrucción). Este proceso durará un máximo de veintiún días.

La limpieza, en su recorrido desde el centro coronario hasta el centro cardiaco, lleva más o menos tres días. La de los centros inferiores lleva más tiempo, aproximadamente los dieciocho días restantes, por ser más densos y de vórtices menos veloces.

Durante ese periodo de eliminación, es imprescindible que se realice la autoaplicación, diariamente, para facilitar

A los ojos de Dios, nadie en este planeta es mejor que usted.

el proceso de limpieza, principalmente las posiciones 1 y 4, de la cabeza; 1 y 3, de la frente, y 3 y 4, de la espalda (ver capítulo 10).

Durante esas tres semanas, es aconsejable evitar, o al menos minimizar, el consumo de bebidas alcohólicas, carne roja y enlatados. Procure ingerir bastante agua, frutas, legumbres, verduras y alimentos con alto contenido de fibras.

4.4. El linaje del Reiki

Tras la iniciación, el reikiano pasa a pertenecer a un árbol o linaje de maestros, y se torna importante conocer esa cadena de cada maestro. Particularmente, hasta julio de 1997, realicé cuatro cursos de maestrazgo, en dos linajes que describo a continuación:

PRIMER LINAJE SISTEMA JAPONÉS (USUI)
TIBETANO Y KAHUNA REIKI

Mikao Usui

Chujiro Hayashi

Hawayo Takata

Phyllis Lei Furumoto

Pat Jack	Carol Farmer
Cherie A. Prashn	Lean Smith

Prepárate, pues tendrás que seguir solo. El maestro sólo puede señalar la dirección.

William Lee Rand

Johnny De' Carli

«Usted»

Observaciones: Maestro William Lee Rand, The International Center
For Reiki Training.
29.209 Northwestern Hwy, n.º 592, Southfield, Michigan, U.S.A.
Tel. 313/948 8112

SEGUNDO LINAJE SISTEMA OSHO REIKI

Mikao Usui

Chujiro Hayashi

Hawayo Takata

Phyllis Lei Furumoto

Premjuk

Upasana

Raj Petter

Jay J. Falk

Lore Pantlen

Michael Prgomet

Johnny De'Carli

«Usted»

Observaciones: Mestre Michael Prgomet, ASW und Energiearbeit
Zentrum.
Erich Kästner, Str D, 63329, Egelsbach, Alemania.
Tel. 06103 45234

---

*Las enfermedades no pasan de descargas energéticas de los
recuerdos personales.*

*El Maestro William Lee Rand (a la derecha), y el Maestro
Johnny De' Carli, en Michigan, USA.*

*El Maestro Michael Prgomet (a la izquierda), y el Maestro
Johnny De' Carli, en Egelsbach, Alemania.*

*Los que van delante tienen la obligación de orientar a los que
vienen detrás.*

4.5. Los sistemas de Reiki

El objetivo de esta obra es la divulgación, principalmente, del Sistema Tradicional de Reiki Mikao Usui, o Usui Shiki Ryoho.

Existen otros sistemas o métodos de Reiki, o de utilización de la misma energía: podemos destacar el Osho Reiki, o Sistema Tibetano, y el Kahuna Reiki, del que también hablaremos más adelante.

4.6. Escuelas de Reiki

Antes de que falleciera la maestra Hawayo Takata, creó una asociación de Reiki que fue denominada A.I.R.A. (American International Reiki Association).

Como consecuencia de divergencias en la A.I.R.A., en 1982, surgieron nuevas asociaciones; algunos maestros permanecieron en la A.I.R.A. y nombraron como su granmaestra a Bárbara Weber Ray. Otros, al separarse, crearon la «Reiki Alliance», y conforme Takata había pedido, nombraron como su gran-maestra a Phyllis Lei Furumoto (su nieta).

Un tercer grupo decidió no aceptar las orientaciones y directrices de las dos asociaciones creadas, y resolvieron tomar su propio camino en la interpretación de la técnica, y se autodenominaron maestros tradicionales o independientes, formando, de esa manera, la «Unlimited Reiki»; y todavía otros formaron centros o núcleos de trabajo con identificación con los maestros iniciados o activados por ellos.

Escuche las señales internas que le ayudan a tomar decisiones correctas. Sin que le importe lo que los demás piensen. Usted es la suma de todas las opciones que ha tomado hasta el momento.

La responsabilidad de divulgar el Reiki es ejercida igualmente por todos los maestros, independientemente de su vinculación con estas dos escuelas principales. La diferencia entre las dos escuelas es básicamente que la A.I.R.A. divide el Reiki en siete grados o niveles, lo denomina «Radiance Technique», y no acepta alteraciones en sus principios establecidos desde entonces, además de que sus maestros necesitan autorización de la gran-maestra, actualmente la doctora Bárbara Weber Ray, para iniciar nuevos maestros.

La «Reiki Alliance» presenta el Reiki en tres niveles; siguiendo la línea del doctor Mikao Usui, el tercer nivel puede ser dividido en dos subniveles, conforme se presenta en este libro. Los maestros de la Reiki Alliance reconocen a otros maestros formados por otro sistemas, y sus maestros pueden iniciar otros maestros sin el permiso de la gran-maestra, actualmente Phyllis Lei Furumoto (1998).

Ambas líneas son válidas y transmiten el verdadero Reiki; ambas grandes-maestras fueron activadas por la misma maestra, Hawayo Takata, y, en cuanto a técnica, no hay diferencia en la transmisión en sí. Recientemente, surgieron grupos excelentes y núcleos de difusión del Reiki, que tienen proyección internacional. Citamos a continuación la dirección de esas escuelas principales:

   I) The Reiki Alliance
       P.O. BOX 41, 83.810, 140.141
       Cataldo, Idaho, USA
  II) American International Reiki Association
       INC. P.O. BOX 86038, 33.738
       St. Petesburgo, Florida, USA

El conflicto debilita, la armonía fortalece.

III) The International Center For Reiki Training
29209 Northwestern HWY., n.º 592
Southfield, Michigan, USA

IV) ASW. und Energiearbeit Zentrum
63329, E. Kastner Str. 72
Egelsbach, Alemania

V) Centro de Terapias Alternativas
Rua Siqueira Campos, 43/633/634
Copacabana, Río de Janeiro, RJ
CEP: 22031, 070
Tel. (021) 256 8267
Internet - http://www.holos.com.br/reiki

Observaciones: Si está interesado en aprender el Método Reiki, y no puede venir a Río de Janeiro, comuníquese con nosotros, reúna un pequeño grupo y podremos ir hasta su ciudad a impartir un seminario.

La Maestra Phyllis Lei Furu-
moto, de la Reiki Alliance.

La Maestra Bárbara Weber
Ray, de la A.I.R.A.

Cuando se enfada consigo misma, está apagando su propia luz.

Capítulo 5

La división
del Reiki

E L DOCTOR Mikao Usui enseñó tres niveles o grados principales de Reiki, que deben ser mantenidos intactos en su esencia.

Todos los niveles son activados con iniciaciones que, conforme vimos, también son llamadas activaciones de los chakras.

El alumno que recibe el primer nivel, de acuerdo con su conveniencia, puede detenerse ahí o aprender otros niveles y profundizar en los estudios.

Varios maestros, en la actualidad, dividen el tercer nivel del Reiki en dos fases (maestro interior y profesor), por entender que el alumno, para aplicar la técnica del maestrazgo en su vida personal, no debe someterse obligatoriamente al entrenamiento prolongado (aproximadamente de siete meses) y costoso de un profesor. Por ello se enseña el llamado nivel 3-A en seminarios rápidos, y el denominado «profesor», como el nivel 3-B. Los seminarios de Reiki se presentan en periodos de aula que van de ocho a dieciocho

No existe un camino para la felicidad. La felicidad es el camino.
No existe un camino para la prosperidad. La prosperidad es el
camino.

horas de duración, de acuerdo con la cantidad de alumnos
y la capacidad didáctica del maestro.

Algunos maestros recomiendan un tiempo no inferior a
tres meses entre un nivel y el siguiente; otros profesores,
como la maestra norteamericana Lori George, que vive en
Northpend, EE.UU., prefiere el Reiki intensivo. Todas las
iniciaciones originales se realizan en una sola activación;
todos los recursos del Reiki son colocados a disposición
del alumno en una sola iniciación, y queda a criterio del
iniciado la rapidez con que va a avanzar. Es lógico que la
energía Reiki no va a perjudicarle, pero el proceso de limpieza energética de veintiún días puede, en ciertos casos,
presentar dificultades para el alumno, además de no haber
podido disponer de tiempo suficiente para entender el significado profundo de cada nivel.

5.1. Nivel I o físico (el despertar)

El primer nivel también se le conoce como físico, debido a que la transmisión de la energía Reiki se produce por
contacto a través de las manos del terapeuta sobre el paciente.

Conforme ya dijimos, cualquier persona puede recibir
el primer nivel de Reiki, no habiendo una condición previa especial: los conocimientos que se transmiten son
simples y escasos; lo que se enseña básicamente son las
posiciones de las manos; por eso no son necesarios conocimientos previos especiales para aprender la técnica
Reiki.

Todo lo que usted desea está a su alcance. Basta con percibir.

Las personas sintonizadas están capacitadas para canalizar la energía vital cósmica por medio de las manos, mediante el simple hecho de colocarlas sobre quienes deben ser armonizados, incluso ellos mismos, los animales y las plantas. No es necesario dirigir la mente, concentrarse, decir oraciones, creer ni desear cura: el Reiki no necesita de nuestra aprobación para actuar. El primer nivel del Reiki es completo en sí mismo; los canales permanecerán abiertos por el resto de la vida del reikiano, a pesar de que el iniciado no utilice la energía durante periodos prolongados. No hay necesidad de recibir otra sintonía en el mismo nivel. En todo el mundo es común que el iniciado participe, gratuitamente, en seminarios del mismo nivel con otros maestros.

En el nivel I, el tiempo de un tratamiento completo en uno mismo o en otra persona, lleva de 60 a 90 minutos.

Es recomendable, tras las cuatro fases de iniciación que conducen al nivel I, el intercambio de energía Reiki entre reikianos, durante cuatro días consecutivos, con el objetivo de limpiar los canales energéticos abiertos durante las actuaciones; pero eso no es una regla. Este intercambio aportará más seguridad al practicante que vivenciará también la experiencia como receptor de Reiki.

Es conveniente comenzar con uno mismo diariamente y, después, dar tratamiento a familiares y amigos. Esa práctica no tendrá como efecto mejorar la calidad de la energía que fluye de sus manos, pero sí enriquecerá su bagaje de conocimientos, con relación a tiempos y posiciones que tienen por objeto alcanzar los centros energéticos más im-

Ningún viento ayuda a quien no sabe hacia qué puerto debe navegar.

portantes (chakras), meridianos y órganos, en busca de una armonización completa.

En el primer seminario, el reikiano aprenderá también la historia del Reiki. En los seminarios de primer nivel casi siempre observamos el mismo fenómeno de comportamiento de los participantes. Inician el seminario con una actitud bastante escéptica, no conversan entre sí, no exteriorizan sus sentimientos, es como si estuviesen aislados del mundo. Tras la sintonización comienzan a conversar, a sonreír y a juguetear. Al final se comportan como si fuesen antiguos amigos; se abrazan, se intercambian los teléfonos, etcétera. Observo que muchos vuelven a encontrarse posteriormente.

5.2. Nivel II o mental (la transformación)

Conocido también como nivel mental, pues el iniciado va a trabajar con problemas mentales y emocionales. El seminario de segundo nivel se desenvuelve en un periodo semejante al del primero, de ocho a dieciocho horas. En esa ocasión se hace una iniciación a tres símbolos sagrados del Reiki, que se enseñan y se sintonizan en las manos del participante. Los diferentes tipos de tratamientos dependen de la combinación que se hace de esos tres símbolos.

Hacemos el segundo nivel cuando sentimos una necesidad de un crecimiento mayor, y de mayor conocimiento con relación a la energía. El proceso de sintonización aporta un salto en el nivel vibratorio, al menos dos veces mayor que el experimentado en el nivel I. Los símbolos que

Usted es el resultado de todos los cuadros que pintó para sí mismo. Siempre puede pintar nuevos cuadros.

se enseñan pueden ser utilizados también para enviar
energía a distancia, al pasado y al futuro.

El nivel II pone gran énfasis en el ajuste del cuerpo sutil (mental/emocional) y no del cuerpo físico, que es el
punto focal en el nivel I, y el alumno pasa nuevamente por
un periodo de limpieza de veintiún días.

El nivel II no es un perfeccionamiento del primero, ya
que cada uno es un módulo completo y perfecto que se
cierra en sí mismo; no debe quedar implícito que el alumno del segundo nivel sea mejor canal que uno del primero, ni tampoco que el tratamiento personal del segundo
sea superior; en general, cuando llegamos al segundo nivel, valoramos todavía más el primero.

El alumno que recibe la iniciación del segundo nivel necesita mucho menos tiempo que antes; más o menos, de
15 a 20 minutos. Merece la pena señalar que, con los símbolos, la curación ocurre también en nivel físico, en gran
intensidad, debido a las vibraciones potenciadas involu-
cradas en el proceso. En el segundo nivel tenemos que volver a fundamentar la manera actual de explicar los conceptos de tiempo y espacio (distancia), pues cuando trabajamos con los símbolos, la energía actúa en otra dimensión, donde ocurre el «continuum» de tiempo y espacio.

5.3. Nivel III-A o conciencia (la realización)

Conocido también como grado de maestro interior o
conciencia. El alumno aprende el símbolo del maestrazgo
y será capaz de realizar sus deseos y sueños. Esa iniciación

*El primer paso para eliminar el concepto de carencia consiste en
agradecer al infinito por todo lo que usted es y tiene.*

no califica todavía al alumno para enseñar el Reiki: su utilización queda limitada al uso personal.

Los buenos maestros prestan gran atención al tiempo transcurrido entre ese y el nivel anterior, para que se produzca una maduración profunda y consciente, evitando también una acumulación de crisis provenientes del proceso de limpieza que sigue a la iniciación, quedando de esa forma más leve y difundida. Ese periodo, comprendido entre los niveles II y III, puede variar de cuatro a doce meses. El tercer nivel requiere extremo cuidado, pues el volumen de energía envuelto en el proceso de curación es muy grande, y es importante tratar de llevar una alimentación saludable y hacer ejercicios de desarrollo personal.

En ese nivel recibimos un símbolo sagrado que sirve para amplificar e intensificar los efectos de los símbolos recibidos en el segundo nivel, capacitando al alumno para armonizar y curar a un gran número de personas, una multitud, estados y hasta países. Podemos ser agentes de la regeneración planetaria.

El tercer nivel lleva al alumno a encontrar su verdad más real, a tocar su propio karma, la etapa de aprendiz consciente y constante.

5.4. Nivel III-B o maestrazgo

El nivel III-B es el de maestro de Reiki, también llamado espiritual o de profesor.

La persona que es sintonizada como maestro de Reiki recibe los conocimientos de cómo iniciar nuevos reikia-

Cada momento tiene su repercusión en la eternidad.

nos. Esa iniciación no obliga a nadie a enseñar y, de ese modo, más personas cada vez deciden hacer semejante elección dentro de una perspectiva de crecimiento interior. Esa formación necesita de siete meses de entrenamiento, aproximadamente.

Es fundamental para el nuevo profesor considerar y respetar el trabajo realizado por todos los maestros que le precedieron.

El maestro de Reiki es una persona capacitada para iniciar a otras personas, y no puede ni debe ser tomado como ejemplo, desde el punto de vista moral, ético o espiritual. En el momento de la activación, todos los maestros de Reiki son iguales. La variación ocurre en la capacidad didáctica de transmitir los conocimientos teóricos que se hacen necesarios.

Haber recibido la iniciación de maestrazgo no garantiza que el nuevo profesor esté personalmente orientado; éste debe aprender a no emitir opiniones en los seminarios, en lo que respecta a las creencias personales políticas, filosóficas, religiosas, ideológicas o espirituales de los alumnos, pues el Reiki se armoniza perfectamente con todas ellas, volviéndolas en algunos casos incluso más fuertes y claras. Los alumnos son absolutamente libres y no tienen ningún grado de dependencia con relación al maestro, o a la institución a la que puedan pertenecer.

El maestro, al recibir la iniciación al maestrazgo, asume el compromiso de transmitir el Reiki de la forma en la que viene siendo realizado desde el redescubrimiento; es común dar asistencia a todo practicante, independientemente del maestro con quien haya estudiado.

Decídase a sonreír. Sea conocido como una persona feliz, agradable y alegre.

Capítulo 6

Precios de los Seminarios

L OS PRECIOS de los cursos sufren variación de un maestro a otro, principalmente en función de su experiencia y del material didáctico empleado. A continuación señalamos algunos precios como referencia, en moneda norteamericana, para que los alumnos se orienten, debiendo tener cuidado de cursos que cobren por debajo de esos precios, principalmente en lo que concierne al nivel de profesor o maestrazgo. En Brasil existen maestros que cobran precios irrisorios por ese curso, y transmiten el conocimiento de ese nivel en un periodo de poco más de cuatro horas, lo que debería durar siete meses. En caso de que el alumno encuentre valores fuera del rango que indicamos, debe estar precavido y escuchar claramente la voz del corazón.

Niveles	Mínimo (Dólares USA)	Máximo (Dólares USA)
Reiki I	150	300
Reiki II	300	500
Reiki III-A	500	1.100
Reiki III-B	5.000	14.000

> *Piense dos veces antes de decidir no cobrar por su trabajo. Generalmente las personas no dan valor a aquello por lo que no han pagado.*

Capítulo 7

La visión holística del cuerpo humano

7.1. El concepto holístico

Holístico es una palabra derivada del vocablo griego «holos» (ὅλος), que significa «todo» o «el todo». Holístico puede ser entendido como «total» o «por entero».

La visión holística desmonta la teoría mecanicista newtoniana que presentaba el universo compuesto de átomos, y que cada fenómeno era resultado de un proceso de «causa/efecto», y además que todas las relaciones físicas tenían en su base una sola causa física.

Las personas, hoy en día, prefieren permanecer encerradas en esas teorías simples, objetivas e intangibles, y, por comodidad o por desconocimiento, no consideran el universo de forma más profunda. Esa concepción hace que busquemos un médico de la misma forma que buscamos un médico de automóviles, para las reparaciones mecánicas y físicas.

A partir de las teorías de Albert Einstein, las formas de pensamiento comenzaron a cambiar, y nació una visión

Si usted cree en lo que ve, está limitado a lo que se encuentra en la superficie. Si usted sólo cree en lo que ve, entonces por qué paga la cuenta de la luz?

moderna en Occidente que es, al mismo tiempo, muy antigua en la realidad de Oriente: el conocimiento holístico.

La física atómica presenta la materia compuesta de átomos, y éstos de partículas atómicas como protones, neutrones y electrones; posteriormente se descubrió que existían partículas subatómicas todavía menores, los «cuanta», con formas de ondas o energía.

Einstein, en su teoría de la relatividad, con su famosa ecuación $E = mc^2$, donde «E» equivale a energía, «m» a la masa de los cuerpos físicos y «c» a la velocidad de la luz, nos demostró que masa y energía son una única realidad que desbancó completamente la visión Newtoniana.

Consecuentemente, nuestro cuerpo no puede ser comparado a una estructura mecánica a la que se monta y se desmonta, y sí a una estructura que se compone de parte energética, espiritual y física, que se mantienen unidas gracias a una serie de fenómenos que se encuentran relacionados entre sí, y con el universo en movimiento. Comparados con el universo, somos menos que un grano de arena; por otro lado, sin nuestra presencia, el universo no existiría, pues somos la parte que forma el todo, esa es la visión holística.

7.2. Chakras

La palabra chakra es sánscrita y significa «rueda». En Oriente, donde los chakras se conocen desde la antigüedad, les dan nombres exóticos. Encontramos una vasta literatura al respecto de teorías orientales que son, en ver-

Todo existe por alguna razón, e integra la inteligencia perfecta que es el universo.

dad, la base del trabajo científico de investigadores occidentales y de terapeutas. Como el Reiki trabaja, principalmente, sobre el cuerpo energético, es muy importante conocer esos trabajos. Los chakras son centros energéticos coloridos y redondos responsables por el flujo energético en el cuerpo. Tienen como función principal absorber la energía universal, metabolizarla, alimentar nuestra aura y, finalmente, emitir energía al exterior. En Occidente los chakras son visualizados como remolinos de energía, pequeños conos (embudos) de energía giratoria, que funcionan como vehículos de energía o zonas de conexión de energía, y que unen el cuerpo físico al energético, funcionando como una especie de aparato de captación y expulsión, cuyos vórtices giratorios permanecen en constante movimiento y tienen, en el ser humano normal, un diámetro de 5 a 10 centímetros.

Los chakras son responsables de innumerables acciones complejas en el cuerpo humano. A través de los chakras perdemos energía cuando estamos ante un sufrimiento físico y emocional, pues cada chakra es un punto colector de una determinada zona de conflicto y desarrollo.

Los escritos antiguos mencionan aproximadamente 88.000 chakras. Eso significa que en el cuerpo humano no existe prácticamente un punto que no sea sensible energéticamente. La mayor parte de ellos desempeña papeles secundarios. Los chakras con los que trabaja el Reiki son los siete principales, y están localizados desde la base de la columna a la parte superior de la cabeza.

De los siete chakras principales, dos son simples; tienen apenas un vórtice (acceso): el primero y el séptimo; en

Si usted controla los pensamientos, controlará sus sentimientos, pues estos se originan de aquellos.

cuanto a los otros, son dobles, y presentan vórtices anterior y posterior. El aura humana está asociada a esos siete chakras principales.

El funcionamiento perfecto de los chakras es sinónimo de salud perfecta, pero la apertura de todos a todos los niveles es sinónimo de evolución; es lo que los maestros denominan la iluminación. Existen innumerables técnicas de

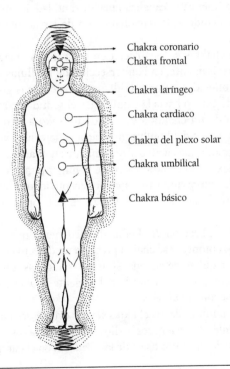

Chakra coronario
Chakra frontal

Chakra laríngeo

Chakra cardiaco

Chakra del plexo solar

Chakra umbilical

Chakra básico

Algunas personas piensan que son lo que su apariencia física revela. El cuerpo no es más que el garaje donde aparcamos el alma temporalmente.

apertura de los chakras; entre ellas, el Reiki tiene la ventaja de ser una técnica suave. El tamaño de los chakras depende del desenvolvimiento espiritual y de las vibraciones que emitimos; son amplios, brillantes y translúcidos, alcanzando 20 centímetros de diámetro en las personas espiritualmente desarrolladas; en las personas más materialistas, de vibraciones más bajas o primitivas, se presentan en colores más oscuros, opacos y con diámetro reducido. En el primer caso, canalizan mayor cantidad de energía vital, facilitando el desenvolvimiento de las facultades psíquicas.

Los chakras se establecen en los canales energéticos; más precisamente, en la intersección de los flujos energéticos conocidos como meridianos. Los chakras giran hacia la derecha o hacia la izquierda, y el sentido de rotación cambia de un chakra a otro, y de un sexo a otro; así, el chakra básico del hombre gira hacia la derecha, expresando un modo más activo y dominador en el ámbito material y sexual; el chakra básico de la mujer gira hacia la izquierda, expresando una mayor receptividad a la fuerza creadora de la tierra y a la fuerza en la expresión de las emociones.

En la aplicación del Reiki, si usted siente que fluye la energía, entonces ese chakra presenta un defecto en la función, y requiere de energía: si usted conoce las funciones, puede comprender el estado del paciente y saber cómo se enfrenta con la vida.

Los nombres de los chakras son de origen oriental y, en Occidente, nos referimos a ellos por los números y por el nombre de su centro físico de localización en el cuerpo hu-

La enfermedad es solamente la punta del iceberg.

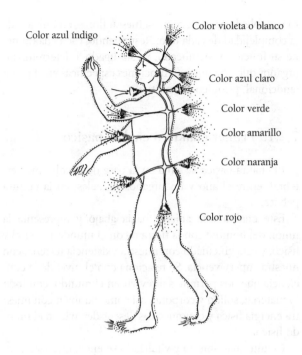

mano. Vamos a explicar a continuación los siete chakras principales, con las funciones, colores, atributos, etcétera.

Cada chakra tiene un color relacionado con su aura correspondiente, que deriva de la frecuencia de vibración del mismo chakra; cada uno vibra con un sonido o mantra que corresponde a una nota musical, y también se relaciona con un elemento natural (fuego, aire, agua y tierra). En la representación oriental los chakras se ven como un núme-

Usted está aquí por alguna razón, quien no es en absoluto acumular bienes materiales.

ro variable de pétalos; como si fuesen flores, en función de la complejidad de cada uno. Resumiendo, cada chakra tiene su función y significado, y está ligado a determinados órganos que desempeñan funciones específicas en el plano emocional, psíquico y espiritual.

7.2.1. Primer chakra o chakra básico

El chakra básico se sitúa en la base de la columna vertebral, entre el ano y los órganos sexuales, en la cintura pélvica.

Este chakra está abierto hacia abajo y representa la unión del hombre con la tierra o con el mundo material y físico, y está vinculado con nuestra existencia terrena, con nuestra supervivencia. Se relaciona con el nivel de la conciencia que nos permite sobrevivir en el mundo, con todo lo material, sólido y corporal, así como también con nuestra energía física y con nuestros deseos de vivir en el mundo físico.

Cuanto más abierto y vitalizado se encuentre este chakra, más elevada será nuestra energía física (disposición). Y así estaremos bien enraizados, y viviremos con determinación y constancia en nuestras vidas. Por eso están concentradas en él las cualidades que tienen que ver con la tierra y los medios de supervivencia, como, por ejemplo: el alimento, el aire, el agua, los recursos económicos, el trabajo o el empleo, la capacidad de lucha, ganar y gustar del dinero, luchar por la realización de sus ideales y deseos, tener rumbo y orientación y no depender de otras perso-

No se puede poseer nada, y cuanto más pronto perciba esto, más sintonizado estará con el maravilloso principio de la abundancia.

nas; es decir, todo los que es necesario para nuestra existencia.

Si el reikiano siente que el primer chakra necesita mucha energía, puede diagnosticar fácilmente que el paciente tiene dificultades en una o en todas las cualidades indicadas anteriormente.

El color de este chakra es rojo o negro; así, usando estos colores, su energización puede ser acelerada. Si cuando está activo tienen color rojo fuego, su elemento correspondiente es la «tierra», y su sonido correspondiente es el Lam.

Su centro físico corresponde a las glándulas suprarrenales, que producen la adrenalina, y que tienen la función de regular la circulación y equilibrar la temperatura del cuerpo, preparándolo para reacciones inmediatas.

El desequilibrio del chakra básico produce físicamente anemia (deficiencia de hierro), leucemia, problemas de circulación, presión baja, poca tonicidad muscular, fatiga, insuficiencia renal, exceso de peso.

Los bloqueos en el chakra básico frecuentemente desembocan en síntomas y actitudes mentales, como pacifismo extremo («¡yo no consigo hacer mal ni a una cucaracha!»), miedo existencial («¡nadie con conciencia sana podría tener hijos actualmente!»), agresión excesiva («vamos a agredir a este loco nauseabundo!»), miedo a la muerte («¡no quiero correr ningún riesgo!»), problemas con el planeamiento del tiempo («¡no sé por qué estoy siempre atrasado!»), impaciencia («¿por qué ese idiota no se quita del medio?») y dependencia («¡no consigo vivir sin él/ella!»). Es el chakra que capta la energía para man-

---

Asuma el compromiso de hacer aquello que le gusta y gozar de aquello que hace ahora.

tener en nuestro cuerpo la columna vertebral, los riñones, los huesos, los dientes, el intestino grueso, el ano y el
recto.

Chakra básico. Primer chakra	
Nombre	Muladhara
Localización	Base de la columna vertebral
Color	Rojo
Cuerpo áurico	Etérico/Físico
Elemento	Tierra
Nota musical	Do
Mantra	Lam
N.º de pétalos	4

7.2.2. Segundo chakra o chakra del ombligo

El chakra del ombligo se localiza en la zona del mismo
nombre, está abierto hacia delante y tiene también un vórtice posterior; es el chakra de la propagación de la especie
y, por lo tanto, de la reproducción. Como consecuencia lógica representa las relaciones afectivas, en lo que concierne al placer sexual. Es el chakra que concentra las cualidades que tienen que ver con la sexualidad, la curiosidad,
la búsqueda creativa del placer material, el gusto por las
cosas bellas, por el arte, por las emociones y, obviamente,
las relaciones con otros individuos. Por ejemplo: el amor
sexual, la apertura hacia cosas nuevas, las relaciones afectivas, amorosas y sexuales.

El comportamiento revela mejor que las palabras, lo que
usted es.

Es un chakra fundamental, cuya actividad correcta nos permite amar la vida, haciendo que sea más placentera. Si funciona mal, puede transformar la vida en un pequeño «infierno» personal que termina reflejándose en las personas con las que vivimos y nos relacionamos.

Este chakra es la sede de los miedos, de los fantasmas y fantasías negativas vinculadas a la sexualidad, y del comportamiento hacia el sexo opuesto.

Los bloqueos en el centro sexual devienen frecuentemente en síntomas mentales, como miedo de la proximidad física («¡no me toques!»), y repugnancia por el cuerpo («¡el sexo es para los animales; los seres humanos nacieron para algo más elevado!»), manía de limpieza, incomprensión («¡no entiendo!»), una mente muy centrada en la razón («¿para qué sirven los sentimientos?»), énfasis excesivo en sentimientos impulsivos («¿para qué reflexionar? ¡Yo actúo por instinto!»), desórdenes rítmicos («¡ni sé, ni puedo bailar!»), («¿por qué sufro siempre de dolores menstruales?»), («¡prefiero trabajar de noche!»), aislamiento («¡casamiento y relación no me sirven de nada!»), frigidez, impotencia, falta de apetito sexual («¡no necesito sexo, no veo lo que los demás obtienen de ello!»), miedo de caerse («¡nunca saltaría de un trampolín!»). La afirmación «no tiene alegría de vivir», resume la condición de un chakra sexual desordenado; los bloqueos en ese chakra acaban frecuentemente en síntomas físicos, como enfermedades relacionadas con los fluidos del cuerpo (laringe, linfa, saliva, bilis) o con órganos procesadores de esos líquidos (riñones, vejiga, glándulas linfáticas). Si los dos

Vivir es amar. La calidad del amor hace la calidad de la vida.

chakras de la esfera «tierra» (básico y del ombligo) no estuviesen abiertos en todos sus aspectos, los otros chakras no podrán abrirse completamente, y funcionarán de un modo muy restringido. Esos temores pueden perjudicar la experimentación de placer material, en un sentido amplio, y el gozo pleno de la vida.

En el cuerpo, está dirigido hacia los órganos reproductivos; las glándulas correspondientes son los ovarios en la mujer, y los testículos y la próstata en el hombre. Su color es naranja.

Chakra umbilical. Segundo chakra	
Nombre	Svadhishthana
Localización	Zona del ombligo
Color	Naranja
Cuerpo áurico	Emocional
Elemento	Agua
Nota musical	Re
Mantra	Vam
N.º de pétalos	6

7.2.3. Tercer chakra o chakra del plexo solar

Se localiza en la zona del diafragma, en la boca del estómago, un poco por encima del estómago, ligeramente a la izquierda. Está abierto hacia delante, y posee también un vórtice posterior.

Los pensamientos, cuando los nutrimos y los absorbemos correctamente, se convierten en realidad. Los pensamientos son elementos de poder.

Representa la personalidad, y en él están concentradas las cualidades de la mente racional y personal, de la vitalidad, de la voluntad de saber y aprender, de la acción de poder, del deseo de vivir, de comunicar y participar. Es el punto de conexión con otras personas. Se trata de un chakra poderoso, que promueve la autoaceptación. A través de su plena armonía encontramos y vivimos con plenitud nuestros atributos físicos y mentales; nos movemos en la sociedad con desenvoltura y armonía.

El tercer chakra es el que más se relaciona con nuestro ego, y por eso absorbe mucha energía de los dos primeros.

Voluntad y poder representan para nosotros, en la sociedad actual, una llave del éxito, pero también puede implicar que, con el deseo de mejorar de posición social, lleguemos a menospreciar a nuestros semejantes, imponiéndonos sobre los demás, con el objetivo de obtener lo que nos interesa. El egoísmo obstruiría, desequilibrando o desarmonizando los chakras superiores, y, consecuentemente, echaría a perder nuestro proceso evolutivo.

Ese chakra controla el estómago, la musculatura abdominal, el hígado, la vesícula, el bazo y el páncreas, las secreciones gástricas desordenadas y las disfunciones de las glándulas salivares.

Si el chakra estuviese falto de armonía, podrá alimentarse un sentimiento de inferioridad, y podrán disminuir las capacidades mentales tales como la lógica y la razón, aumentando, como consecuencia de ello, la confusión y el sentimiento de inseguridad, con lo que la persona puede generar patologías, tales como diabetes, desórdenes en el

No pierda su tiempo respondiendo a quien le critica.

tracto digestivo, alergias, sinusitis, insomnio, además de la separación entre amor y sexo.

Los bloqueos en el plexo solar acaban frecuentemente en síntomas y actitudes mentales, como pretensiones de poder y control («mi marido», «mi mujer», «mi hijo», «mi dinero»), ambición («la vida no tiene valor si no logro una función más elevada», «un empleo mejor», «una amante», «si no cambio el coche todos los años»), gasto compulsivo («¡necesito desesperadamente joyas o ropas nuevas!»), ansiedad de consideración («¿qué voy a hacer si mi patrón me despide?», «si no apruebo las oposiciones», «¡si tuviese que vender el coche nuevo!»), y de envidia («¡Ese individuo tiene un BMW nuevo!»).

Su centro físico corresponde al páncreas, cuya función es la transformación y digestión de los alimentos; el páncreas produce la hormona insulina, equilibradora del azúcar en la sangre, y transforma los hidratos de carbono que, además de aislar las enzimas, son importantes para la asimilación de grasas y proteínas. El color de este chakra es amarillo, su elemento es el fuego y su sonido es Ram.

Chakra del plexo solar. Tercer chakra

Nombre	**Manipura**
Localización	**Plexo solar**
Color	**Amarillo**
Cuerpo áurico	**Mental**
Elemento	**Fuego**
Nota musical	**Mi**
Mantra	**Ram**
N.º de pétalos	**10**

La intuición es una orientación bondadosa. Confíe en su intuición y siga con ella; ésta siempre le conduce al crecimiento y al objetivo.

7.2.4 Cuarto chakra o chakra cardiaco

El chakra cardiaco se localiza en la parte superior del pecho, en la zona del corazón, ligeramente a la izquierda; está abierto hacia delante, teniendo también un vórtice posterior; representa el amor incondicional que nos permite amar enteramente y sin condiciones. Cuando está activo, nos relacionamos con todo y con todos, aceptando tanto los aspectos positivos como los negativos, y siendo capaces de dar amor sin esperar nada a cambio. Es el chakra situado en el medio; un puente de transferencia de energía entre los chakras inferiores y superiores. Es el chakra por el que pasa toda la energía que deseamos entregar a los demás. Únicamente si está abierto y vitalizado, podremos brindar energía de curación (Reiki). Por ello, algunos reikianos, tras la activación, sienten fluir la energía con mayor intensidad, debido a que poseen un chakra cardíaco más armonizado que el de las demás personas. El centro físico de este chakra corresponde al timo, cuya función es regular el crecimiento (en los niños), dirigir el sistema linfático, estimular y fortalecer el sistema inmunológico; damos un sentido pleno a nuestra existencia si trabajamos bien este chakra de amor y compasión.

Cuando nos encontramos desequilibrados y sin armonía no somos capaces de amar; pensamos que el prójimo, el destino y Dios son incompatibles con nosotros; podemos llegar a desarrollar mecanismos violentos de respuesta a los demás. En lugar de solicitar ayuda de ellos, el lema pasa a ser: «Yo contra todos», lo que vuelve inarmónico instantáneamente al tercer chakra.

En la oración usted se dirige a Dios. En la intuición, Dios se dirige a usted.

Los bloqueos en el chakra cardiaco devienen frecuentemente en síntomas y actitudes mentales como la imposición de condiciones al amor («¡Si no haces lo que quiero,
me voy a separar de ti!»), de amor sofocante («¡Hijo que-
rido, yo sólo quiero lo mejor para ti!»), de egoísmo («¡Tienes que estar aquí en caso de que yo necesite ayuda!»).

Su disarmonía produce patologías tales como: síndrome
de pánico, calambres, acidez, palpitaciones, arritmia car-
diaca, rubor, presión alta, enfermedades de los pulmones,
problemas con el nivel de colesterol, intoxicación, tensión
y cáncer. Su color es el verde, su elemento el aire y su sonido es el yam.

Chakra cardiaco. Cuarto chakra	
Nombre	Anahata
Localización	Zona cardiaca
Color	Verde o rosa
Cuerpo áurico	Astral
Elemento	Aire
Nota musical	Fa
Mantra	Yam
N.º de pétalos	12

7.2.5. Quinto chakra o chakra de la laringe

Se localiza en medio de la garganta, próximo a la zona
designada como «manzana de Adán», está abierto hacia

*La existencia de Dios es más cierta que el más cierto de los
problemas de la geometría.*

delante, y tiene también un vórtice trasero. Es el chakra de la comunicación externa y el comienzo de la comunicación interna (clariaudiencia) y autoexpresión; gobierna la postura del cuerpo.

El chakra laríngeo es el chakra de la comunicación, de la creatividad, del sonido y de la vibración, de la capacidad de recibir y asimilar, y se relaciona con los sentidos del paladar, audición y olfato, y es el umbral de la alta conciencia y de la purificación, y es por medio del trabajo de este chakra como podemos iniciar el camino espiritual; en consecuencia, como nos ponemos en comunicación con nuestra esencia superior.

Cuando está abierto y armonizado, somos conscientes de la responsabilidad de nuestro desarrollo en todos los sentidos, desde nuestras necesidades materiales hasta las espirituales. Nos facilita la comprensión de cuál es nuestro papel en la sociedad y en el trabajo, y nos ocupamos en conseguir el máximo posible de satisfacción.

Es el centro psicológico de la evolución de la creatividad, responsabilidad, iniciativa y autodisciplina.

Cuando está en disarmonía, aparece el miedo de la desaprobación social de nuestros semejantes, miedo al fracaso en la vida social, y nos convertimos en seres potencialmente agresivos; adoptando una actitud instintiva de defensa propia, podemos ser llevados a escondernos en el orgullo para poder soportar la carencia de éxito.

Su desequilibrio produce patologías tales como: susceptibilidades a las infecciones virales o bacterianas (amigdalitis, faringitis), resfriados, herpes, dolores musculares o de cabeza, en la base del cráneo (nuca), con gestión linfática,

---

Cuando aprenda a entrar en su reino interior, tendrá un refugio interno siempre a su disposición.

problemas dentales y endurecimiento de los maxilares (bruxismo).

Los bloqueos en el chakra laríngeo producen frecuentemente síntomas físicos como la ronquera («no consigo hablar mucho tiempo sin quedar ronco»), la persona tiene dificultad de comunicarse, tartamudea, sus palabras son atropelladas, su cabeza está caída hacia abajo, su mandíbula se orienta en la dirección de la laringe.

Cuando existe híperactividad de este chakra, el individuo es ronco, habla con voz aguda y estridente y puede transformarse en un demagogo; discute sólo por discutir, gusta de discutir, quiere cambiar al mundo de acuerdo con sus ideales; el individuo tenderá a mantener la cabeza erguida con la nariz «hacia el aire».

Ese chakra participa de cualquier desequilibrio psicofísico; su centro físico corresponde a la tiroides, que desempeña un papel importante en el crecimiento del esqueleto y de los órganos internos, regulando el metabolismo, regula el yodo y el calcio en la sangre y en los tejidos. Su energía también es responsable de la parte inferior del rostro, nariz y aparato respiratorio, tráquea, esófago, cuerdas vocales, laringe y sistema linfático. Su color es el azul, su elemento el éter y el sonido es el Ham.

Chakra laríngeo. Quinto chakra	
Nombre	**Vishuddha**
Localización	**Garganta**
Color	**Azul claro**

La armonía se instaura en usted a través de su pensamiento.
El antecesor de cada acción es un pensamiento.

Cuerpo áurico	**Etérico-patrón**
Elemento	**Éter**
Nota musical	**Sol**
Mantra	**Ham**
N.º de pétalos	**16**

7.2.6. Sexto chakra o chakra frontal

El chakra frontal es el chakra de los sentidos, y es responsable por la energía de la parte superior de la cabeza, (encima de la nariz), parte craneal, ojos y oídos. El chakra frontal, el tercer ojo, se localiza en medio de la frente, en el entrecejo, justo encima del nivel de los ojos; está abierto hacia delante, teniendo también un vórtice trasero. El sexto chakra representa la intuición, la evidencia y la audiencia en el campo de la paranormalidad.

Cuando está en disarmonía puede afectar esos órganos, además de colocarnos en una situación confusa, en la que las ideas y los conceptos no tendrán una correspondencia con la realidad, obstruyendo nuestras ideas creativas; nos quedamos sin raciocinio lógico y sin capacidad de poner en práctica nuestras ideas.

Percepción, conocimiento y liderazgo son prerrogativas de este chakra, que nos permiten entrar en el mundo del lo aparentemente invisible mediante la percepción extrasensorial; a través de él, también emitimos nuestra energía mental. Actúa directamente sobre la pituitaria (hipófisis), que dirige la función de las demás glándulas.

No deje que las emociones le inmovilicen. Encárelas como oportunidades.

Su color es el azul índigo, está ligado al cuerpo áurico mental, no tiene elemento correspondiente en el mundo físico, y su sonido es el Om.

Los bloqueos en el chakra frontal son motivados por su híperactividad y causan síntomas tales como falta de objetivo, inestabilidad de vida («¡no sé por qué vivo!»), alienación del trabajo («¡no importa el trabajo, siempre que se gane un buen salario!») y miedo a las apariciones, espíritus, fantasmas, etcétera.

Algunos otros síntomas típicos son: desempleo permanente (inestabilidad profesional), cambios de residencia constantes, relevo continuo de compañeros amorosos, vestirse de acuerdo con la tendencia de la última moda, adoración de ídolos, fanatismos y hechos semejantes, falta de opinión, ausencia total de interés por cualquier cosa, y falta de iniciativa.

La afirmación «No encuentra su camino», resume la condición de un chakra frontal desordenado.

Cuando se halla en desequilibrio, produce patologías tales como: vicios de droga, alcohol, compulsiones, problemas en los ojos (ceguera, catarata), sordera.

Chakra frontal. Sexto chakra	
Nombre	Ajna
Localización	En el entrecejo
Color	Azul índigo
Cuerpo áurico	Celestial
Nota musical	La
Mantra	Om
N.º de pétalos	96

Cuando sepa que tiene alguna enfermedad física, podrá prepararse para sufrir o para curarse.

7.2.7. Séptimo chakra o chakra coronario

El chakra coronario está localizado en la parte superior de la cabeza; está abierto hacia arriba con un único vórtice; representa la comprensión y la conexión con energías superiores. Está asociado a la conexión de la persona con su espiritualidad y a la integración de todo el ser físico, emocional, mental y espiritual. Es el chakra más importante, y es el eslabón entre la mente espiritual y el cerebro físico, relacionándose con nuestro ser total y con la realidad cósmica.

Tiene una forma distinta de la de los demás chakras, con intensas radiaciones luminosas y translúcidas. En virtud de hallarse exactamente en la condición de semejante al universo, al todo, al cosmos, a Dios, no tiene sonido correspondiente en el mundo físico; está hecho de silencio puro de la formación de los mundos. Llegar a la apertura y a la plena conciencia de este chakra conduce a la perfección del ser, pero solamente se llega a ésta después de la apertura y la conciencia de todos los otros chakras.

El séptimo chakra es luz de conocimiento y conciencia; es visión global del universo; es nuestro camino de crecimiento, haciendo que podamos alcanzar la serenidad espiritual y la completa conciencia universal.

El color de este chakra es blanco, dorado o violeta; corresponde a la glándula pineal, que actúa en el organismo como un todo.

Cuando se encuentra en equilibrio nos permite experiencias muy personales; las sensaciones van más allá del mundo físico, creando en el individuo el sentido de

La curación siempre debe implicar la eliminación de aquel error básico que cometemos.

totalidad, de paz y fe, dando un sentido propio a su existencia.

La falta de equilibrio del séptimo chakra acarrea como consecuencia una pubertad tardía, y falta de comprensión de la parte espiritual, tanto propia como ajena, y, por consiguiente, una visión materialista de la existencia. La persona no tendrá conexión con su espiritualidad y generará patologías tales como: insomnio, jaquecas, desórdenes en el sistema nervioso, histeria, posesión, obsesión, neurosis y disfunciones sensoriales.

Chakra coronario. Séptimo chakra	
Nombre	Sahasrara
Localización	Parte superior de la cabeza
Color	Blanco, dorado, violeta
Cuerpo áurico	Causal
Nota musical	Si
N.º de pétalos	1.000 (972)

Si lo que tienes te parece insuficiente, entonces, aunque poseas el mundo entero, todavía te sentirás en la miseria.

7.2.8. Tabla. Chakras y sus correspondencias

CHAKRAS	NOMBRE	CUERPO ÁURICO	SONIDO	COLOR	ELEMENTO	NOTA MUSICAL	PÉTALOS
BÁSICO	MUJADHARA	Etérico/físico	LAM	Rojo	Tierra	Do	4
OMBLIGO	SVADHISHTHANA	Emocional	VAM	Naranja	Agua	Re	6
PLEXO SOLAR	MANIPURA	Mengal	RAM	Amarillo	Fuego	Mi	10
CARDIACO	ANAHATA	Astral	YAM	Verde o rosa	Aire	Fa	12
LARÍNGEO	VISHUDDHA	Etérico	HAM	Azul claro	Éter	Sol	16
FRONTAL	AJNA	Celestial	OM	Azul índigo	—	La	96
CORONARIO	SAHASRARA	Causal	—	Violeta, blanco y dorado	—	Si	972

Al activar sus chakras, usted traerá a su cerebro al funcionamiento total.

7.2.9. Tabla. Chakras y sus funciones y disfunciones

CHAKRAS	FUNCIONES	DISFUNCIONES
BÁSICO	Supervivencia y existencia terrena, conexión con el mundo material, energía física.	Rabia, impaciencia, apego, materialismo, culpa, vergüenza, vicios, violencia, muerte, dolor.
OMBLIGO	Reproducción y propagación de la especie, sexualidad.	Control, sujeción o desvío de la sexualidad, rechazo, solidaridad, resentimientos, venganza, celos, depresión, envidia.
PLEXO SOLAR	Personalidad, vitalidad, acción y voluntad, paz y armonía, autoestima, protección contra vibraciones negativas.	Ansiedad, preocupación, indecisión, prejuicios, desconfianza, negligencia, mentira.
CARDIACO	Amor incondicional, creatividad, unión, sistema inmunológico.	Desilusión, transición, pánico, depresión.
LARíNGEO	Comunicación, creatividad, iniciativas, independencia.	Fracaso, apatía, desesperación, limitación, miedo, inseguridad, autorreprobación, sumisión.
FRONTAL	Intuición, paranormalidad, percepción extrasensorial, raciocinio lógico.	Ganancia, arrogancia, tiranía, rigidez, alienación.
CORONARIO	Conexión con energías superiores, plenitud.	Neurosis, irracionalidad, desorientación, fobias, histeria, obsesión.

Los pensamientos tienen una forma definida, ocupan espacio y tienen la cualidad del sentimiento asociado con ellos. Continuarán rodeando el aura del individuo hasta que él los disuelva a través de alguna actitud; nosotros lo realizamos con el Reiki.

7.2.10. Tabla. Chakras y sus relaciones con glándulas, órganos y disfunciones

CHAKRAS	GLÁNDULAS	ÓRGANOS
BÁSICO	Suprarrenales	Riñones (insuficiencia renal), columna vertebral, huesos, dientes, intestino grueso, ano, recto, próstata, anemia (deficiencia de hierro), exceso de peso, presión baja, fatiga, poco tono muscular, problemas de circulación, desequilibrio en la temperatura del cuerpo, leucemia y tensión nerviosa.
OMBLIGO	Gónadas, glándulas sexuales masculinas y femeninas (testículos y ovarios).	Sistema reproductor, vejiga, nalgas, piernas, pies, nervio ciático, espasmos musculares, calambres, cólicos, desórdenes menstruales y desequilibrios hormonales.
PLEXO SOLAR	Pancreáticas.	Bazo, estómago, hígado, vesícula, intestino delgado, parte inferior de la espalda, sistema nervioso vegetativo, sentimiento de inferioridad, falta de lógica y razón, inseguridad e insomnio.
CARDIACO	Timo.	Corazón, arritmia cardiaca, sistema circulatorio, bronquios y aparato respiratorio, parte superior de la espalda, nervio vago, sangre, piel, rubor, presión alta, colesterol alto, palpitaciones, acidez, síndrome de pánico e incapacidad de amar.
LARÍNGEO	Tiroides.	Garganta, amígdalas, laringe, cuerdas vocales, esófago, susceptibilidades a infecciones virales y bacterianas, resfriados, amigdalitis, faringitis, dolores musculares y de cabeza (nuca), problemas dentales, endurecimiento de los maxilares, congestión linfática, herpes y miedo de fracaso en la vida social.
FRONTAL	Pituitaria.	Sistema nervioso central, ojos (ceguera, catarata, glaucoma), oído (sordera), nariz (rinitis), falta de raciocinio lógico, vicios de drogas, alcohol y otras compulsiones.
CORONARIO	Pineal.	Cerebro, insomnio, jaqueca, disfunciones sensoriales, neurosis, histeria, posesión, obsesión y materialismo.

Nada colorea tanto el aura como el pensamiento habitual.

7.3. Formación de los bloqueos en los chakras

Los bloqueos energéticos, verdaderos nudos energéticos generados por sentimientos negativos, se fijan primeramente, y con bastante intensidad, en los chakras, produciendo el «atascamiento» de los mismos, provocando que las energías no fluyan, y sacándonos así del estado de armonía. Los chakras congestionados no pueden irradiar la energía de forma correcta, forzándose a una actividad exagerada para el mantenimiento de las energías a niveles satisfactorios.

A través de técnicas diversas, entre ellas el Reiki, podemos disolver esas estructuras emocionales negativas.

7.4. Disolución de los bloqueos con el Reiki

La acción de la energía vital del universo, a través de la frecuencia más alta de vibración, disuelve esos bloqueos cuando el Reiki recorre los meridianos, los canales eléctricos, los nadis y los chakras, permitiendo la liberación y armonización de los chakras de manera gradual y uniforme.

Durante el proceso de limpieza energética, las energías bloqueadas eliminadas vuelven a nuestra mente consciente, provocando que regresemos a la escena donde vivenciamos la situación desagradable que generó tal bloqueo (resentimiento, rencor, celos, rabia, etcétera). Muchas veces incluso se pueden manifestar como síntomas de la disolución, enfermedades físicas a las que no se les destruyó su molde energético totalmente. Durante ese periodo po-

Somos multidimensionales, y la medicina también necesita ser multidimensional.

demos tener la impresión de que nuestra situación empeoró. Con la intensificación de la aplicación del Reiki convertiremos este periodo en algo menos traumático, acordándonos siempre de que algunas liberaciones son más lentas que otras, y, de este modo, nos liberamos definitivamente de esas disfunciones.

7.5. Meridianos y nadis

Según la cultura china, los meridianos son los canales energéticos que recorren el cuerpo humano y conducen la energía vital. Cada uno de los meridianos está relacionado

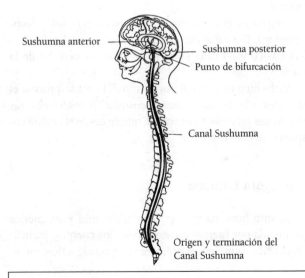

Sushumna anterior

Sushumna posterior

Punto de bifurcación

Canal Sushumna

Origen y terminación del
Canal Sushumna

Platón dijo: aprender es recordar.

con un órgano y con una función, los cuales, a su vez, están relacionados con el principio chino del Yin y el Yang. Cuando la energía que los recorre se halla desequilibrada es posible reequilibrarlos estimulando los meridianos en diversos puntos, y ese es el principio de la acupuntura, del «Do-in» y del Shiatsu.

Los nadis son tres: Sushumna, Ida y Pingala. Ida y Pingala tienen la capacidad de captar el prana directamente del aire, a través de la respiración, y expedir tóxicos durante la exhalación. De ello se deduce la importancia de una buena práctica respiratoria.

Ida es el canal conductor de energía lunar (tranquilizadora). Ese canal básico comienza en el lado izquierdo del chakra básico y termina en la parte superior izquierda de la nariz.

Pingala es el canal conductor de energía solar (estimulante). Ese canal comienza en el lado derecho del chakra básico y termina en la parte superior derecha de la nariz.

Sushumna es el canal por medio del cual se procesa el descenso y la subida de energía cósmica. Todos los chakras tienen sus «raíces» en ese canal, que va desde el chakra coronario al chakra básico.

7.6. Aura humana

El aura humana es una emanación sutil y magnética producida por fuerzas etéreas. Todos los cuerpos, inclusive el físico, humano, poseen ese campo magnético que se

Calcular el número de semillas contenidas en una manzana es una tarea simple. ¿Quién de nosotros, sin embargo, es capaz de decir cuántas manzanas existen en una simiente?

irradia de cada individuo, como los rayos solares emanan del Sol.

El aura, a pesar de ser ignorada por la mayor parte de las personas en sus estados normales de conciencia, es percibida y claramente reconocida por individuos que se encuentran en condiciones adecuadas de sensibilidad, llamados sensitivos.

El aura es la extensión sutil de la personalidad, que puede igualmente producir o recibir impresiones, y gracias a ella establecemos contactos muy diferentes de los contactos físicos. Sentimos atracción o repulsión instintiva, dependiendo del caso, aparentemente sin razón de ser; por otro lado, la atracción y la repulsión revelan una armonía o una disarmonía intrínseca entre las auras.

El aura varía de muchas maneras; en primer lugar, su área y extensión dependen del desarrollo del alma y de la mente.

En individuos primitivos, estas fuerzas interiores son naturalmente rústicas y rudimentarias, mientras que se produce lo contrario entre personas altamente evolucionadas e inteligentes.

La composición o textura del aura varía, igualmente, según los individuos —el violento y el refinado, el sensible y el insensible, el colérico y el tranquilo—, que manifiestan auras diferentes, de acuerdo con su disposición y carácter.

Otro elemento que actúa sobre la complejidad y diversidad del aura son las emociones, pasiones y sentimientos, que poseen características propias de las irradiaciones áuricas. El aura es también una guía infalible del estado de salud del individuo.

Decídase a ser pacífico. Conéctese y mantenga conectados a usted, los botones que expresan la serenidad y la tolerancia.

En las personas sanas, los rayos vitales se expanden en la atmósfera áurica dotada de un brillo intenso y cristalino, en los individuos enfermos los colores son apagados y sombríos, mientras que en las enfermedades más graves se indican mediante manchas opacas sobre las partes afectadas.

En sentido vital, todo individuo crea su propia atmósfera magnética, que revela infaliblemente el temperamento, la disposición y el estado de salud propio. Todo en la naturaleza produce su propia aura.

Las comprobaciones efectuadas muestran que todo lo que ocurre en el cuerpo físico, ocurre primero en el plano energético. El aura muestra las causas de nuestras enfermedades y, en consecuencia, es bastante lógico intervenir preventivamente en el cuerpo energético a través del Reiki o de otras técnicas de terapias vibratorias. Si la enfermedad se apodera del cuerpo físico, es conveniente hacer dos intervenciones simultáneas: la intervención en el cuerpo físico, con la medicina convencional, y la intervención en el cuerpo energético, con el Reiki, a fin de eliminar la causa. Es evidente, por tanto, que nuestro carácter verdadero queda proyectado en el aura; en ella está lo que somos, intrínsecamente, y no lo que parecemos ser al ojo visible. De ninguna otra manera podemos explicar la atracción o repulsión que sentimos tan frecuentemente cuando encontramos ciertas personas por primera vez. Es la acción invisible del aura lo que nos persuade.

Las investigaciones de científicos prueban, exclusivamente, que todos los cuerpos, animados o inanimados, emiten una radiación sutil; esa emanación ha recibido va-

En el corazón se centra el más grande de los chakras.

rios nombres. Es el *magnetismo* de Mesmer, el *fluido eléctrico* de Jussieu, las *llamas odílicas* de Reichenbach, la *sensibilidad exteriorizada* de Rochas, los *rayos vitales* del doctor Baraduc.

Paracelso fue uno de los primeros estudiosos de Occidente en divulgar la *teoría del campo astral*.

El doctor Walter J. Kilner, en Londres, especialista en medicina eléctrica, a través de un cristal denominado tela Kilner, observó también el hecho curioso de que una fuerte aura positiva reacciona, en presencia de una delgada de tipo negativo, de la misma forma que una pila pierde su carga cuando se conecta a otras pilas descargadas. Por otra parte, el aura delgada o depauperada, señal de vitalidad reducida, actúa como una esponja psíquica o vampiro sobre las que la rodean, absorbiendo sus energías.

La famosa cámara que fotografía el aura —la cámara Kirlian—, así llamada en homenaje a su inventor (Samion Davidovich), fue reconocida por la Academia de Ciencias Médicas de Moscú. Los rusos denominaron a esas emanaciones energéticas «bioplasma».

Hoy día las técnicas fotográficas fueron modernizadas, y la fotografía del aura puede realizarse en las principales ciudades del planeta. Lo que vemos es la representación del momento preciso en que fue hecha la foto, pues el aura cambia constantemente de tamaño y de color, en relación estrecha con la salud física, emocional, mental y espiritual.

El resultado es simplemente la confirmación de algo que el ojo humano, excepto en algunos casos, no está preparado para percibir. De ahí el que resulta importante no

Divida sus conocimientos. Es un medio de alcanzar la inmortalidad.

extraer conclusiones y diagnósticos a partir de una única fotografía.

Casi todos los investigadores están de acuerdo en que existen varios estratos de campo áurico. La cantidad de capas áuricas descubiertas y vistas por los científicos y videntes a lo largo de los años, varía entre tres y más de siete. Últimamente parece bastante probable la existencia de siete capas áuricas.

Cada uno de los estratos del aura es distinto. Los campos impares tienen una estructura más definida, mientras que los pares se muestran menos estructurados, casi fluidos y en constante movimiento.

Todos los estratos áuricos invaden, a su vez, los estratos inferiores. El séptimo penetra hasta el cuerpo físico, el sexto invade los cinco inferiores y también el físico, y así sucesivamente, hasta llegar al primer estrato, que es el más próximo al cuerpo físico.

Cada estrato del campo del aura se relaciona con los siete chakras y glándulas principales del sistema endocrino, estando las tres primeras capas asociadas a la energía del mundo físico, metabolizándolas, el cuarto estrato es un transformador, interconectando capas áuricas y campos energéticos, y las tres capas áuricas superiores metabolizan las energías relacionadas con el mundo espiritual.

A cada estrato del campo del aura le fue asignado un nombre, que varía según el investigador, y generalmente refleja su función. Obviamente, el largo de los distintos estratos no es fijo y varía en el mismo individuo, en razón de su momento; es decir, si una persona se encuentra en un estado de profunda meditación, el aura se presentará mu-

Siga de frente. Incluso aunque no distinga el final de la escalera, continúe subiendo. El camino se hace caminando. Siguiendo adelante usted llegará con certeza.

cho más extensa, y los colores serán mucho más vivos y brillantes.

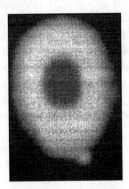 

Fotos Kirlian del dedo índice de la mano derecha:
Izquierda: Johnny De'Carli.   Derecha: Leo G. Venzon

7.7. Los campos áuricos

7.7.1. Cuerpo etérico (0,5 a 5 cm.). Interpenetra el cuerpo físico, y es, en realidad, parte de él, llamado ectoplasma, vitaliza y sustenta el cuerpo físico hasta la muerte. Contiene energía de los tejidos, glándulas y órganos, se expande o retrae, de acuerdo con el funcionamiento de ellos.

7.7.2. Cuerpo emocional (2,5 a 7,5 cm.). Interpenetrando el cuerpo etérico encontramos el cuerpo emocional, el vehículo de las emociones, deseos y pasiones; son especialmente las irradiaciones brillantes y mutables de ese cuerpo, constituido por nubes de colores, en continuo

Los hombres harían muchas cosas, si no juzgasen tantas cosas como imposibles.

movimiento y de apariencia oval, que los videntes describen cuando observan el aura.

7.7.3. Cuerpo mental (7,5 a 20 cm.). El vehículo del pensamiento, tiene una estructura más sutil y menos definida, y contiene nuestros procesos mentales, nuestras ideas y, generalmente, aparece para los invidentes en la forma de una aureola dorada, y cuando está en desequilibrio es translúcido con emanaciones doradas, como burbujas.

7.7.4. Cuerpo astral (15 a 30 cm.). Compuesto por nubes multicolores, derivadas de las percepciones y emociones extrasensoriales.

7.7.5. Cuerpo etérico patrón (45 a 60 cm.). Campo de energía estructurada sobre el cual crece el cuerpo físico.

Cuerpo etérico   *Cuerpo emocional*

No tienen derecho de llamar Mi Padre a Dios aquellos que no pueden llamar a los hombres mis hermanos.

7.7.6. Cuerpo celestial (70 a 90 cm.). Es el nivel emocional del plano superior, a través del cual experimentamos el éxtasis espiritual; es el plano de identificación con Dios, compuesto por puntos de luz.

7.7.7. Cuerpo causal (75 a 100 cm.). Contiene las impresiones de vidas pasadas. Es el nivel más fuerte y elástico del campo áurico, y contiene la corriente principal de fuerzas que se desplaza a lo largo de la espina dorsal. En las tres últimas capas, en algunos individuos del tipo devoto, místico y generoso, el aura espiritual es muy pronunciada y bella; mientras que en individuos del tipo animal no hay prestigios de ella.

Cuerpo mental   *Cuerpo astral*

Todo es necesario y todo pasa.

Capítulo 8

Meditación y Reiki

MEDITAR, en el significado común y popular, significa pensar en algo concreto, a fin de comprender un significado con profundidad. En el mundo occidental, meditar significa concentrarse en un pensamiento, en una palabra, o en una situación, descartando taxativamente cualquier otra reflexión, con el objetivo de llegar a un estado alterado de conciencia.

La meditación es una aventura; la mayor aventura que la mente humana puede alcanzar. Los adolescentes acostumbran fascinarse con la sexualidad; los más viejos, con el dinero y los bienes materiales pero, con el tiempo, descubren que todo eso no les proporciona la felicidad plena, y comienzan a buscarla en la espiritualidad. La meditación no es una fuga de los problemas económicos y sociales: debe ser sinónimo de alegría para todos, nunca de cansancio ni aburrimiento.

La meditación hace que nuestro ser se encuentre en armonía con el universo. Esos resultados pueden obtenerse

Estamos tan preocupados con el tiempo, con nuestros quehaceres, que raramente hacemos una pausa para conectarnos con nosotros mismos.

a través de numerosas técnicas, algunas de origen occidental.

En la tradición oriental, meditación significa no hacer nada, para llegar a un estado de perfecta paz interior, a un estado especial en el que la mente se encuentra ausente, silenciosa. Una situación en la que se experimenta una indescriptible sensación de paz y felicidad profundas.

El estado meditativo es muy personal, y ocurre en cada uno de nosotros de manera única, resultando difícil a veces intentar una descripción de lo ocurrido.

Con la meditación nos sentiremos más tranquilos, más conscientes, dormiremos mejor, nos cansaremos menos, y nuestra aura comenzará a vibrar de una manera más armónica, reflejando un crecimiento espiritual, en una manera más fácil y distinta de relacionarnos con nuestros semejantes, elevaremos nuestro nivel inmunológico, haciendo que las células del cuerpo trabajen de manera uniforme y equilibrada. El Reiki puede ser un camino para realizar meditación profunda.

Al accionar el Reiki después de las meditaciones, sentiremos una diferencia significativa por encontrarnos más próximos y en contacto más estrecho con el universo y, por lo tanto, con la energía universal.

La meditación presupone una serie de cosas que son comunes a todos los métodos. La primera norma para meditar es un cuerpo relajado, sin controlar la mente y sin concentrarse. Los ojos deben permanecer cerrados, pues el 85 por 100 de nuestro contacto con el exterior se hace a través de los ojos. Es preferible encontrar una posición cómoda que tener que cambiarla durante el proceso. La se-

La meditación rompe la ilusión de la individualidad.

gunda es limitarse a observar la mente, un pensamiento, como si fuese una película en la que solamente somos observadores, sin interferir, sea lo que fuese. Observar la mente, sin juicio alguno y sin crítica.

La meditación es el simple existir sin hacer nada, sin acción, sin pensamiento, sin emoción, en ausencia de crítica y juicio; y, lentamente, se posesionará de nosotros un profundo silencio.

Esos son los tres puntos principales: relajamiento, observación y ausencia de crítica.

8.1. Meditación del árbol

Siéntese en una posición confortable, respire despacio y profundamente, cierre los ojos. Visualice un árbol delante de usted, sienta su energía.

Conviértase en ese árbol. Perciba que ese árbol posee un tronco largo. Advierta las ramas y las hojas. Sienta las raíces de ese árbol al penetrar en el suelo, y la energía de la tierra que es emanada en su dirección y lo está envolviendo.

Ahora las raíces penetran más profundamente hasta llegar a un río subterráneo; es un riachuelo de aguas translúcidas y límpidas. El riachuelo baña sus raíces, llevándose

Nadie tira piedras a un árbol sin frutos.

todos sus miedos, rabia, limitaciones, tristeza. Una luz dorada penetra sus raíces, trayendo una sensación de paz, bienestar y equilibrio.

Ahora desplace su mente nuevamente hacia el tronco del árbol y sienta que está expandiéndose hacia arriba, pasando más allá de las nubes, llegando a las estrellas.

Sienta que la energía de la cual está hecha la estrella es la misma que la de su cuerpo. Siéntase en comunión con las estrellas, con el universo.

Ahora, del cosmos emana una luz blanca que lo envuelve; sienta ese energía.

Regrese enseguida al tronco. Perciba, a su vez, la naturaleza, la vegetación, otros árboles, los pájaros y otros seres pequeños.

Hágase, a su vez, totalmente consciente de todas las formas de vida y comparta con ellas la experiencia que ha tenido. Transmita hacia todos los seres la energía de amor y comunión, divídala. Esa energía es inagotable.

Regrese, lentamente, hacia su cuerpo. Mueva los pies, las manos, las piernas, abra y cierre los ojos, hasta sentir que ha entrado perfectamente en el cuerpo.

Cada ser humano tiene su lugar y su misión. Nadie lo puede sustituir.

Capítulo 9

Cómo y dónde aplicar Reiki

9.1. La sala de aplicación

¿Dónde y cómo debemos dar y recibir una sesión de Reiki?

- ¡Reiki es amor!
- ¡Reiki es armonía!
- ¡Armonía es belleza!

Entonces, cuidemos al máximo el lugar donde vayamos a actuar y seamos organizados: amor, armonía y belleza.

Los ambientes recogen energías, se quedan con sentimientos y pensamientos archivados. En ocasiones podrá haber habido peleas y discusiones en el ambiente; esas energías nocivas permanecen archivadas en el lugar, pudiendo perjudicar el tratamiento del Reiki.

Para realizar tratamientos de Reiki, el ideal sería un ambiente reservado exclusivamente para esta finalidad, a fin de evitar esas vibraciones y energías nocivas. En caso de

Para servir realmente, es preciso comenzar consigo mismo y con el lugar donde se vive.

que este ambiente no esté disponible, es indispensable que el reikiano haga antes un tratamiento de limpieza energética en el ambiente.

Los reikianos de nivel I, que todavía no están aptos para la utilización de símbolos de limpieza de ambiente, pueden utilizar la siguiente técnica mental: se visualiza primero una luz violeta que fluye y limpia todo el ambiente, después una luz blanca para energizarlo, y posteriormente una luz dorada para sellar el ambiente contra vibraciones negativas venidas de fuera.

Una vez realizado este procedimiento, cualquier habitación puede ser utilizada para el Reiki.

Las recomendaciones a seguir son para aquellos que desean trabajar con el Reiki profesionalmente.

El local debe estar bien limpio y siempre bien pintado con colores blancos o claros, dando preferencia al verde y azul. Debemos evitar cualesquiera otros colores excitantes, como el rojo o el amarillo.

Es importante que tenga al menos una ventana para garantizar la buena ventilación, con el fin de reducir los iones positivos nocivos; se deben preferir los pisos naturales, especialmente la madera, y los sintéticos (eucatex, alfombras, etcétera) deben evitarse, y si el piso es de cemento, mármol o granito, podrán ser colocadas sobre ellos las alfombras y almohadas de fibras naturales.

Es conveniente limitar la cantidad de cuadros y adornos en las paredes que son fuente de distracción. Según el tamaño del recinto, ponga bastantes plantas vivas que, además de adornar, ayudan a mantener energéticamente limpio el local. La luminosidad debe ser discreta e indirecta,

La energía atrae energías de la misma cualidad.

siendo aconsejable el uso de un interruptor para regular la intensidad de la luz. El exceso de luz es estresante.

La música suave y relajante es importantísima, tanto para crear una atmósfera adecuada, como para crear un complemento energético (terapia de sonido) para el tratamiento. Existen músicas muy agradables compuestas especialmente para practicar el Reiki, en las que los minutos previstos para cada posición son cadenciados dentro de la propia música como signos-recordatorio muy suaves; si no la tiene, utilice música suave y relajante que debe ser escogida con cuidado, por ejemplo: cantos gregorianos, sonidos de pájaros, agua, viento, Nueva Era y clásica. Si fuese del agrado de ambos, utilice incienso (elemento aire). Los de fabricación oriental son excelentes y baratos no se trata sólo de perfumar el ambiente, haciéndolo más agradable, sino de favorecer el recibimiento de la energía. En lugar del incienso, podemos utilizar difusores aromáticos, que son pequeños recipientes de vidrio o cerámica, y en cuya parte superior se coloca agua y esencias naturales, y en la parte inferior una pequeña vela. Energéticamente es muy importante mantener siempre una vela encendida (elemento fuego), cualquiera que sea, durante el desarrollo del trabajo.

Un vaso de agua (elemento agua) es recomendable. Y debemos cambiarla entre una y otra sesión.

Un cristal o una amatista (elemento tierra) se puede utilizar cerca del paciente: va a irradiar energía transmutadora.

Es importante un recipiente con sal gruesa (NaCl), que debe ser sustituido periódicamente. El (NaCl) (clorato de

Gran cantidad de energía exige mayor grado de pureza.

sodio) transmuta las vibraciones negativas o restos de emociones del paciente que permanecerían en el ambiente. La comodidad del practicante y del paciente es fundamental, aconsejándose el uso de una hamaca o mesa de curación con la altura apropiada para que el reikiano pueda sentarse o quedarse de pie durante la sesión. El uso de un pañuelo de algodón limpio bajo el paciente echado es adecuado, y debe de cambiarse siempre entre una sesión y otra. El tratamiento puede durar una hora o más, y si usted no tiene una mesa específica, podrá servir de sustituto una mesa de comedor o de trabajo, con una colchoneta de espuma o cobertor.

El suelo es el último lugar adecuado para administrar curaciones, debido a las energías telúricas que permanecen impregnadas en el piso; pero, en una emergencia, si fuera el único lugar disponible, utilícelo.

9.2. Cómo proceder con su aplicación a otras personas

El color de la ropa del terapeuta no importa, debe ser cómoda y limpia, para evitar las impregnaciones energéticas negativas en ropas muy usadas. La energía Reiki pasa sin problemas a través de la ropa y otros materiales, por eso no es necesario que el paciente se la quite.

Deben retirarse todos los adornos de metal, tanto del receptor como del practicante, argollas, anillos, pulseras, cadenas, cristales y reloj; éstos poseen vibraciones propias que pueden interferir en la energía Reiki. Una medalla, un

Sus problemas son reflejos de las lecciones que necesita aprender.

anillo o una pulsera que no se logra, o no se quiere quitar por cuestiones religiosas, no causarán una gran interferencia.

Los terapeutas que usan piedras en procesos de curación saben que deben limpiarlas energéticamente con regularidad, y, si no estuvieran purificadas, no tendrán condiciones de curar, o lo que es peor, ellas mismas «estarán enfermas». Las piedras saturadas con energía negativa irradian emanaciones equivalentes; eso se aplica también a metales, vidrios y plásticos. Las joyas utilizadas diariamente entran en contacto, permanentemente, con todo tipo de vibración energética, y suelen quedar saturadas con energía del ambiente. Observamos personas a las que les desaparecen los dolores de cabeza cuando comienzan a lavar sus ojos regularmente con agua corriente. Luego, tratando de crear una atmósfera lo más libre posible de cualquier interferencia, retire todas las joyas antes de aplicar el Reiki.

Para evitar la absorción de residuos etéricos, antes de iniciar la aplicación debemos lavarnos las manos con agua corriente; haremos lo mismo al final para romper la interacción áurica. Si, por algún motivo, no se dispone de agua, obtendremos el mismo efecto de limpieza energética exponiendo las manos a la llama de una vela durante algunos instantes. Debemos asegurarnos de no ser interrumpidos ni por la llegada de otra persona ni por una llamada telefónica.

Si lo desea, el terapeuta puede decir una oración silenciosa en agradecimiento por la gracia de poder actuar con la energía divina y funcionar como puente y canal de la energía universal.

Si alguien parece tener habilidades mágicas, eso no quiere decir que sea necesariamente evolucionado espiritualmente. Aprenda a discernir.

Bajo ningún concepto debemos insistir en que las personas reciban Reiki: es potestativo de cada uno desear mejorar.

Debemos hacer la centralización del corazón siempre y en cualquier tipo de tratamiento, teniendo en cuenta que toda la energía que entrará por el chakra coronario pasará por el chakra cardiaco, que, si está armonizado, convierte a la persona en un canal mejor. El reikiano no debe involucrarse emocionalmente con el problema del paciente ni crear expectativas con relación a los resultados. Debe recordarse al receptor que no necesita pensar en nada en especial, que la energía fluirá libremente, y que también se puede hablar durante la sesión, el flujo de la energía Reiki no se interrumpe; no obstante, el ideal es el silencio.

Antes de comenzar la aplicación alise el aura del paciente a fin de establecer un primer contacto. Puede repetir este procedimiento tres veces; ese ritual sirve para establecer un primer contacto con el paciente y para equilibrar el aura; es como si «antes golpease en la puerta», en lugar de entrar sin anunciarse.

El Reiki es un método de equilibrio de la totalidad del ser; la enfermedad es un fragmento visible de un sistema desequilibrado, y quedará sanada a partir del momento en que se alcance un estado de armonía.

Ese proceso de armonización, desencadenado por la energía Reiki se completará en el tiempo designado por la conciencia superior de la persona en tratamiento. En general, le llevará de cuatro a veintiuna sesiones poder sanar el 80 por 100 de los problemas que encuentre. Sin embargo, recuerde que la maestra Takata, en 1936, tenía un tu-

Amándose a sí mismo está apto para aceptar lo que el otro le ofrece.

mor y necesitó cuatro meses de aplicación diaria para lograr restablecerse, en la clínica del doctor Hayashi, en Tokio. Por consiguiente, no despierte expectativas sobre la duración del tratamiento.

Usted es un canal de Reiki; lo que cura es la energía de Dios, por eso acuérdese que el honor es de él. El reikiano sincero no permite dejarse venerar o adorar por causa de curaciones realizadas.

Por ser sólo un canal no será responsable en caso de que no se produzca la curación, muchas veces por falta de continuidad en el tratamiento, falta de higiene mental o, también, por factores kármicos.

Evite hacer diagnósticos: eso es prerrogativa médica, y no interfiera en el tratamiento a que la otra persona esté siendo sometida; recuerde que el Reiki es una terapia alternativa y también complementaria. En consecuencia, utilícelo también como complemento.

La cantidad y la calidad del Reiki en la aplicación está determinada por quien lo recibe; por esto, actúe con cautela contra la creación de patrones de reacción y estímulos. En ocasiones, las personas pueden sentir calor, hormigueo, palpitaciones, vibraciones; muchas veces pueden no sentir nada, o apenas un leve relajamiento; sentir o no sentir no es un parámetro para juzgar la eficiencia del tratamiento.

No es poco común que se sintonice con el malestar del paciente. Normalmente, el registro del malestar en el reikiano se produce en la misma parte del cuerpo donde se localiza el dolor del paciente, sin embargo, eso no significa que el facilitador tiene o se quedará con el síntoma del

Las personas superiores y discretas encuentran mil razones para callarse, mientras que otras hallan cien para hablar.

receptor. Ese hecho ocurre porque, durante la aplicación en otra persona, usted estará participando de un campo áurico común.

Si esas sensaciones fuesen desagradables, basta que cambiemos de posición o interrumpamos la aplicación por algunos segundos; esas sensaciones no son residuales. En caso de que persistan las sensaciones desagradables, analice los motivos de estar en sintonía vibratoria con ese estado y revise su autotratamiento, intensificándolo. Al iniciar cualquier tratamiento, especialmente en enfermedades graves, es recomendable hacer tres aplicaciones seguidas, durante tres días consecutivos, facilitando así una respuesta más rápida del sistema inmunológico, pero eso no es una regla. El terapeuta y la otra persona deben establecer, en forma conjunta, el cronograma de aplicaciones, de acuerdo con la disponibilidad de tiempo de ambos.

Procure averiguar los motivos de la situación que llevó a la persona a estar dispuesta a recibir el Reiki; tal procedimiento ayuda y facilita un derrotero seguro para la aplicación, y podremos escoger las posiciones más específicas para el caso.

Tanto el paciente como el terapeuta deberán mantener piernas, dedos y brazos sin cruzarlos, para que todos los canales de energía del cuerpo puedan recibir la misma cantidad y se mantengan igualmente desbloqueados y limpios.

Durante toda la sesión, el practicante debe buscar una posición cómoda, apoyar la espalda, relajar los hombros y, si fuese posible, apoyar los brazos.

El hombre apegado al dinero es como el gusano de seda, que se encierra cada día más en la propia sepultura.

El tiempo de aplicación en cada posición en el nivel I es de cinco minutos, mientras que el tratamiento completo lleva setenta minutos, pues son catorce posiciones básicas, pero no existe ningún impedimento para dedicar un tiempo menor de aplicación, e incluso de no hacer todas las posiciones. Para escoger algunas, siga su intuición. Sensibilícese al campo de energía de la otra persona y sentirá lo que es más adecuado a cada situación. El ideal es el tratamiento completo; sin embargo, si se hace imposible, poco Reiki es mejor que ninguno.

En cuanto a las manos, el reikiano mantendrá los dedos unidos y la mano en forma de concha, ligeramente curvados, para que no haya dispersión de energía, como si estuviésemos bebiendo agua, aunque sin tensionarlos, dejándolos flexibles y suaves.

El silencio es el clima del espíritu; es el espacio íntimo en que nuestro ser se concentra, se profundiza y se universaliza.

El tratamiento deberá comenzar por la cabeza, siguiendo todas las posiciones convencionales, con las manos colocadas suavemente; los cambios de posición, siempre que sean posibles, se hacen moviendo apenas una mano cada vez, para no interrumpir el contacto. Para aplicar energía sobre la región genital, es conveniente utilizar una toalla o manta doblada sobre esa parte del cuerpo, para evitar malas interpretaciones. Otra forma es colocar las manos suspendidas, a dos o tres centímetros del cuerpo, o pedir que el receptor coloque sus manos sobre la zona; entonces, aplicaremos la energía a través de las manos del paciente.

Después del tratamiento es aconsejable, quedando a criterio del terapeuta, agradecer a Dios, en una oración silenciosa, por la oportunidad de haber podido trabajar para alguien como canal Divino.

Los árboles recios muchas veces se quiebran en las tempestades. También los hombres firmes, rígidos, se desmoronan en las crisis de la vida. Sea flexible y maleable. Vivan y dejen vivir a los demás.

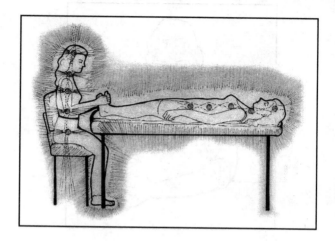

Con el fin de romper la interacción de campos áuricos, el terapeuta deberá lavarse las manos con agua corriente, luego de haber terminado la sesión. O frotarse las manos vigorosamente y soplar hacia ellas, para cortar el contacto con la persona tratada, haciendo que el flujo del Reiki cese; o, en último caso, utilizar una llama.

El pago de terapias es lícito, necesario y correcto, dentro del pleno respeto de la ley de la naturaleza que requiere el libre intercambio de energía. El reikiano cobra por el tiempo dedicado como canal en el tratamiento, y no por la energía Reiki, que es divina, regalada e ilimitada.

Tras el tratamiento, es común que ambos sientan una sensación de paz, un relajamiento intenso y un sueño profundo; deje que el paciente repose un cierto periodo de tiempo después. Se recomienda, después del cambio del

El hombre es lo que es; no lo que quiere o presume ser.

pañuelo, del agua y, si fuese necesario, de la sal, de la vela, de la música y del incienso, que el terapeuta descanse, por lo menos durante quince minutos, entre una sesión y otra; el ideal sería meditando.

El Reiki también puede ser aplicado en animales, en semillas y en plantas.

Cuanto más oses, más conseguirás.

Capítulo 10

Las posiciones
para la aplicación

Zona de la cabeza

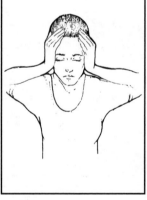

Primera posición de la cabeza

Segunda posición de la cabeza

El principal requisito para la felicidad es el control sobre los pensamientos.

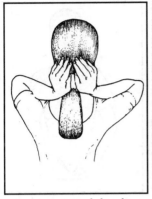
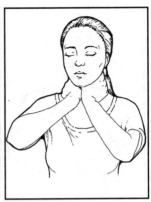

Tercera posición de la cabeza *Cuarta posición de la cabeza*

Zona de delante

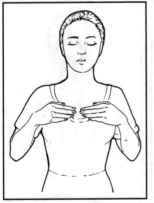
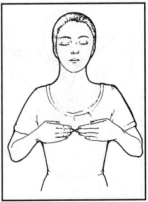

Primera posición de delante *Segunda posición de delante*

El secreto de la felicidad es amar el deber y hacer de él un placer.

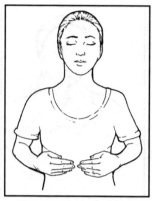 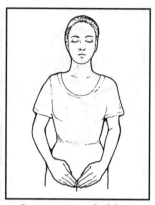

Tercera posición de delante   Cuarta posición de delante

Zona de la espalda

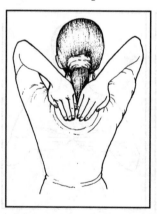 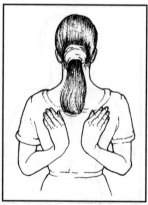

Primera posición de la espalda   Segunda posición de la espalda

*En vano buscaremos la felicidad a lo lejos, si no la cultivamos
dentro de nosotros mismos.*

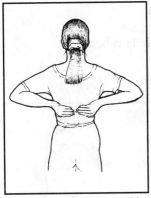

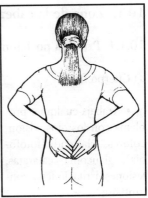

Tercera posición de la espalda *Cuarta posición de la espalda*

Zona de los pies

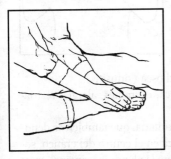

Primera posición de los pies

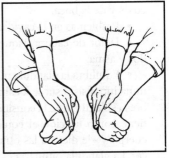

Segunda posición de los pies

Dios nunca nos da problemas cuyas soluciones no estén a nuestro alcance.

10.1. Zona de la cabeza

10.1.1. Primera posición de la cabeza

a) Cuerpo físico

• Trabaja cualquier problema con los ojos, visión, colores, claridad (fotofobia), glaucoma, cataratas, lesiones, irritaciones y conjuntivitis.

• Problemas en la nariz, rinitis alérgica, carne esponjosa, desvío del septo, congestión respiratoria.

• Problemas con los maxilares, mandíbula, encías, dientes, pH de las mucosas y de la boca.

• Problemas en la cavidad ósea (sinusitis).

• Dolor de cabeza, jaqueca, derrames, alergia, resfriados y asma.

• Equilibra la glándula pituitaria, que también se denomina hipófisis. Ésta se localiza en el centro del cráneo, sobre la silla turca. Se la considera la glándula principal, pues tiene como función el equilibrio del sistema de todo el cuerpo y «le dice» a las otras glándulas lo que deben hacer. La glándula pituitaria es la glándula-maestra del sistema endocrino; influye en el crecimiento, en el desenvolvi-

Nuestras acciones terminan siempre por producir nuestros pensamientos.

miento sexual, en la fatiga, en la gravidez, en la lactancia, en el metabolismo, en la dosificación del azúcar y minerales en la sangre, en la retención de fluidos y en los niveles de energía.

• Equilibra la glándula pineal, que también se denomina epífisis; esa glándula se localiza a la altura de la base del cráneo, es pequeña, del tamaño de un guisante, responde a los niveles de luz que los ojos perciben, gracias a la secreción de la hormona melatonina. Tiene un papel importante en el estado de ánimo. Muchos hacen referencia a esa glándula, llamándola el tercer ojo, glándula de la intuición o de la paranormalidad.

b) Cuerpo emocional

• Reduce el estrés.
• Alivia la ansiedad.
• Proporciona relajamiento, incluso a nivel neurológico.

c) Cuerpo mental

• Alivia y disminuye la confusión mental, generando equilibrio y claridad de pensamientos e ideas.
• Permite aumentar la capacidad de concentración y centralización del individuo.

d) Cuerpo espiritual

• Equilibra el sexto chakra.
• Permite que penetremos en nuestro yo interior, para estar en contacto con nuestra propia sabiduría.

La conciencia es una ventana. Una especie de ventana que permite que usted vea todo.

• Nos abre hacia energías superiores.
• Permite perder la sensación de dualidad y alcanzar la sensación de unicidad con las leyes divinas.
• Amplía y ayuda a purificar la conciencia.
• Beneficia el plano de la devoción espiritual, favoreciendo la meditación y el estado de concentración.

10.1.2. Segunda posición de la cabeza

a) Cuerpo físico

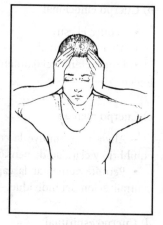

• Trabaja directamente con el cerebro, equilibrando el lado derecho y el izquierdo, incentivando la producción, la creatividad, los pensamientos y la memoria.
• Equilibra las glándulas hipófisis y pineal.
• Trabaja la disritmia cerebral, convulsiones y aneurismas.
• Alivia rápidamente dolores de cabeza y jaqueca.
• Auxilia en la recuperación de personas que estén drogadas o alcoholizadas.

Decídase a sonreír. Sea conocido como una persona feliz, agradable y alegre.

b) **Cuerpo emocional**

- Reduce preocupaciones, histeria y estrés.
- Ayuda a aliviar la depresión, la angustia y los miedos (todos los estados patológicos de pánico).
- Promueve el relajamiento.
- Equilibra a la persona en casos en los que predominan la emoción o el raciocinio.

c) **Cuerpo mental**

- Trabaja enfermedades mentales (psicosis, neurosis, esquizofrenia).
- Desarrolla la claridad de pensamientos, la serenidad, estimula la rapidez de las respuestas.
- Estimula una visión más clara de la vida y de los problemas.

d) **Cuerpo espiritual**

- Aumenta la capacidad de recibir energías superiores.
- Expande la conciencia y la interacción con la sabiduría cósmica (registro akásico).
- Promueve el recuerdo de sueños y vidas anteriores (*insights*).

10.1.3. Tercera posición de la cabeza

a) **Cuerpo físico**

- Armoniza el funcionamiento de la glándula pituitaria o hipófisis.

Decídase a ser pacífico. Conéctese y mantenga conectados a usted, los botones que expresan la serenidad y la tolerancia.

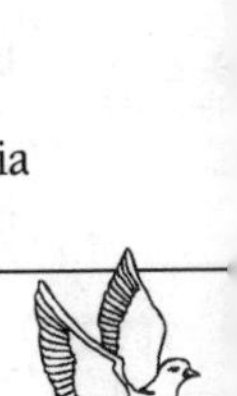

- Trabaja con la médula y el cerebro
- Cubre la base del cerebro, armonizando las funciones desempeñadas por el cerebelo, que se encuentra en la parte posterior de la cavidad craneal.
- Disminuye la tensión del cuello y relaja la parte superior de las vértebras cervicales.
- Regula el sueño, ayuda a dormir por falta de sueño o a despertarse por exceso de éste.

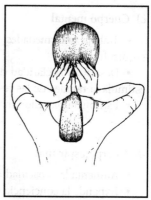

- Trabaja el lóbulo occipital que se encuentra en la parte posterior del cerebro, donde se localizan los centros de la visión.
- Regula el peso y el hambre.
- Actúa en problemas relacionados con el habla y la tartamudez.
- Alivia los dolores de cabeza en la base del cráneo.
- Trabaja con personas que están en estado de conmoción por accidente, en coma o desmayadas.
- Trabaja sobre cualquier vicio, disminuyendo la compulsión.
- Trabaja la coordinación y el equilibrio (laberintitis).

b) Cuerpo emocional

- Desarrolla el bienestar, relajamiento y tranquiliza los pensamientos.

Tres actitudes bloquean su ser: el negativismo, los juicios y el desequilibrio.

• Disminuye el estrés, la depresión, las irritaciones, las preocupaciones, los temores y los traumas.

c) Cuerpo mental

• Claridad de expresión de pensamiento e ideas.
• Promueve la serenidad, la creatividad y la productividad.

d) Cuerpo espiritual

• Trabaja el sexto chakra (Ajna), en su parte posterior.
• Expande la recepción de energías superiores.
• Propicia el recuerdo de sueños y vidas pasadas.
• Aberturas del tercer ojo, desarrollando los instintos (ojos y oídos internos) y la paranormalidad (capacidad de entrar en estado alterado de conciencia, proyección astral, clarividencia, clariaudiencia, telepatía, psicografía, etc.).

10.1.4. Cuarta posición de la cabeza

a) Cuerpo físico

• Trabaja con el metabolismo, las glándulas tiroides y paratiroides. La glándula tiroides está localizada en el tercio inferior del cuello, delante de la tráquea. Regula el metabolismo y el crecimiento. Las glándulas paratiroides consisten en cuatro diminutos corpúsculos ligados a la tiroides. Controlan el metabolismo del calcio, contribuyendo al control del tono muscular.

En el corazón se centra el más grande de los chakras.

• Trabaja los maxilares, mandíbulas, amígdalas, garganta y faringe.

• Trabaja las glándulas salivares.

• Trabaja el drenaje linfático y los ganglios cervicales superiores.

• Equilibra la presión sanguínea (alta y baja).

• La garganta es un centro de la expresión, creatividad y comunicación.

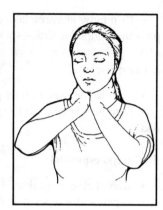

b) Cuerpo emocional

• Trabaja neutralizando sentimientos como la rabia, hostilidad, resentimientos, nerviosismo y miedos al fracaso.

• Desarrolla la autoestima y la autoconfianza.

c) Cuerpo mental

• Desarrolla la calma, relajamiento, disminución del sentido crítico, bienestar, claridad, estabilidad mental, tranquilidad y placer de vivir.

d) Cuerpo espiritual

• Trabaja el quinto chakra (laríngeo o Vishuda).

• Ayuda a mantener una sintonía con la espiritualidad de forma más creativa y sincera.

Cuando se enfada consigo mismo, está apagando su propia luz.

10.2. Zona de delante

10.2.1. Primera posición de delante

a) **Cuerpo físico**

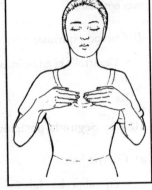

• Trabaja con el corazón, circulación, venas y arterias que salen del corazón.

• Armoniza los pulmones en la parte superior y las funciones de los bronquios.

• Cubre parte de la tráquea.

• Ayuda en el drenaje linfático.

• Equilibra el timo que, en la infancia, desempeña importantes funciones endocrinas e inmunológicas. A pesar de que se vea reducida en el adulto, su influencia sobre el organismo sigue sintiéndose, en lo que concierne a la inmunología.

b) **Cuerpo emocional**

• Esta zona es el centro energético emocional del cuerpo que, estando equilibrada, controla el envejecimiento, evitando el envejecimiento precoz.

• Trabaja los sentimientos de rabia, resentimientos, celos, amargura y hostilidad.

> *Las enfermedades no pasan de descargas energéticas de los recuerdos personales.*

- Reduce el estrés.
- Desarrolla felicidad, autoconfianza, placer y armonía.

c) Cuerpo mental

- Desarrolla serenidad, centralización, tranquilidad, relajamiento y calma para que podamos afrontar los problemas cotidianos.

d) Cuerpo espiritual

- Desarrolla el amor incondicional a los semejantes y al mundo.

10.2.2. Segunda posición de delante

a) Cuerpo físico

- Equilibra las funciones del hígado, estómago, bazo, vesícula biliar, páncreas y diafragma.

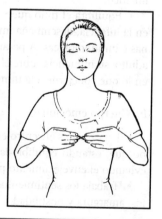

b) Cuerpo emocional

- Alivia el estrés.
- Genera relajamiento, seguridad y sentimiento de satisfacción.
- Posición importante para periodos de cambios

Decídase a ser saludable; despierte todas las mañanas con gratitud, y no permita ningún pensamiento nocivo ¡Nunca!

bruscos de vida, haciendo que aceptemos ideas diferentes.

c) Cuerpo mental

• Genera centralización, calma, serenidad, relajamiento y claridad. La mente, al estar equilibrada, hace que funcionen mejor los órganos de la digestión.

d) Cuerpo espiritual

• Equilibra el chakra del plexo solar, aumentando nuestra resignación y gratitud hacia lo que se es y hacia lo que se tiene. Genera facilidad de compartir nuestro mundo físico con otras personas.

10.2.3. Tercera posición de delante

a) Cuerpo físico

• Trabaja equilibrando las funciones del páncreas, vejiga, sistema reproductor (ovario, útero, trompas), apéndice, intestino delgado, duodeno y colon, parte inferior del hígado, bazo y vesícula biliar.

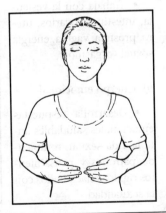

Siempre queda un poco de perfume en las manos que ofrecen rosas.

b) **Cuerpo emocional**

• Reduce el estrés, histeria, frustraciones, ansiedad, miedos, depresión, amargura y represión de los sentimientos.
• Mejora la autoestima y la autoconfianza.

c) **Cuerpo mental**

• Disminuye la confusión mental y el desequilibrio.

d) **Cuerpo espiritual**

• Equilibra el chakra del ombligo.

10.2.4. Cuarta posición de delante

a) **Cuerpo físico**

• Trabaja con la vesícula, intestinos, ovarios, útero, próstata, vagina, energía sexual (orgasmo).

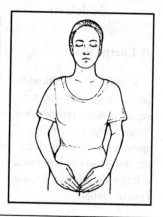

b) **Cuerpo emocional**

• Desarrolla respuestas emocionales saludables ante la vida sexual, rompiendo patrones y pensamientos rígidos relacionados con la sexualidad.

La vida es una escuela donde las vivencias son las maestras.

- Reducción de la ansiedad, el nerviosismo y el pánico.
- Trabaja todo tipo de vicio.

c) **Cuerpo mental**

- Promueve la creatividad, mejorando la flexibilidad y la capacidad de adaptación.

d) **Cuerpo espiritual**

- Equilibra el chakra básico.

10.3. Zona de la espalda

10.3.1. Primera posición de la espalda

a) **Cuerpo físico**

- Trabaja tensiones y contracturas frecuentes de los músculos trapecio y lumbar.
- Trabaja la columna vertebral, sistema nervioso, problemas en los pulmones y enfermedades alérgico-respiratorias.

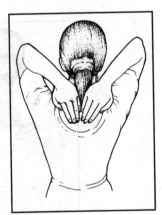

b) **Cuerpo emocional**

- Promueve la reducción del estrés, el relajamiento,

La rabia es la causa primordial de la desarmonía.

la disminución de tensiones, generando autoconfianza y tranquilidad.

c) Cuerpo mental

- Desarrolla serenidad, centralización y estabilidad.

d) Cuerpo espiritual

- Favorece la recepción de energías superiores.

10.3.2. Segunda posición de la espalda

- Trabaja lo mismo que la segunda posición de delante.

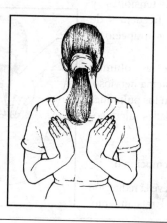

Sea gentil consigo mismo y ámese a sí mismo incondicional-mente, independientemente de lo que surja en su camino.

10.3.3. Tercera posición de la espalda

• Trabaja lo mismo que
la tercera posición de delante, más las glándulas suprarrenales y los riñones.

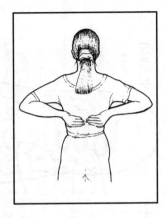

10.3.4. Cuarta posición de la espalda

• Trabaja lo mismo que
la cuarta posición de de-
lante, más el cóccix y nervios.

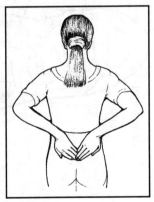

Uno de los mayores males de hoy es el estrés. Desacelere su ritmo.
Duerma bien naturalmente, practique deportes y ejercicios físicos,
salga de vacaciones, tenga sosiego, aliméntese bien, tome el sol,
manténgase tranquilo y sereno en todas las circunstancias.

10.4. Zona de los pies

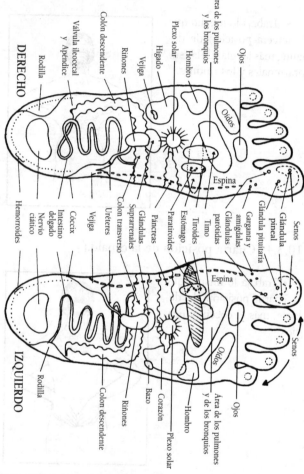

La fuerza de la mente es ilimitada, pero el cuerpo físico es demasiado limitado. Sea justo y amoroso con su cuerpo. Es indispensable dar al organismo el tiempo necesario para que recupere las energías; si no, entrará en colapso.

• En los pies tenemos los puntos reflejos que están conectados con otras zonas y órganos del cuerpo, que, al ser irradiados por el Reiki, desbloquean los canales eléctricos de unión, facilitando el fluir de la energía. Podemos comenzar o terminar el tratamiento por los pies.

10.4.1. Primera posición de los pies

a) Cuerpo físico

• Trabaja en la sangre, circulación, presión sanguínea, diafragma, garganta, senos, ovarios, cadera, hombros y, prácticamente, todo el resto del cuerpo.

b) Cuerpo emocional

• Armoniza el cuerpo áurico emocional, siendo una posición clave en momentos de dudas e indecisiones importantes.

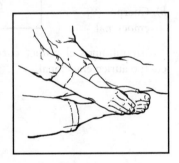

c) Cuerpo mental

• Armoniza el cuerpo áurico mental, generando más equilibrio y centralización.

d) Cuerpo espiritual

• Armoniza el cuerpo áurico astral, equilibrando la velocidad normal de los siete chakras principales, y estimu-

Cuando mueras, sólo te llevarás lo que hayas dado.

lando y coordinando los movimientos de los nadis (ida y pingala).

10.4.2. Segunda posición de los pies

a) **Cuerpo físico**

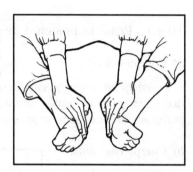

• En la planta de los pies trabajamos prácticamente todas las glándulas y órganos del cuerpo.

b) **Cuerpo emocional**

Armonizamos el primer cuerpo áurico (etérico) y el cuerpo áurico emocional.

No queme los puentes después de atravesarlos. Se quedará sorprendido al ver cuántas veces tendrá que cruzar el mismo río.

Capítulo 11

Tratamientos especiales

1.	**Abscesos**	Colocar una gasa o pañuelo sobre la zona, y aplicar Reiki de 15 a 30 minutos, dos veces al día.
2.	**Acné**	Cabeza 2 y 3, delante y espalda 3 y 4.
3.	**Agua**	Aplicar Reiki en el recipiente de 10 a 20 minutos.
4.	**SIDA**	Cabeza 2, 3 y 4, delante 1, 2 y 3, y espalda 3 y 4.
5.	**Alcoholismo**	Cabeza 2 y 3, delante 1, 2, 3 y 4 y espalda 3.
6.	**Alergia**	Tratamiento completo, dos veces al día.
7.	**Amígdalas**	Cabeza 4, dos veces al día.
8.	**Anestesia**	Nunca aplicar Reiki en pacientes anestesiados.
9.	**Angina**	Delante 1, espalda 2 (prolongar el tiempo).
10.	**Anorexia**	Tratamiento completo.
11.	**Ansiedad**	Cabeza 1, 2, y 3, delante 2 y 3 y espalda 3.
12.	**Articulaciones**	De 15 a 30 minutos, directamente sobre la zona.
13.	**Artritis**	Tratamiento completo
14.	**Asma**	Tratamiento completo, tiempo adicional delante 1 y 2.
15.	**Acidez**	Delante 1 y 2.

El tiempo pasado con sus hijos nunca es desperdiciado.

16.	Vejiga	Delante 4 y espalda 4.
17.	Bronquitis	Delante 1 y 2, espalda 1, 2, 3.
18.	Bulimia	Cabeza 2 y 3, delante 3 y espalda 3.
19.	Bursitis	Una mano en el hombro, otra en el codo, de 15 a 30 minutos, dos veces al día.
20.	Calambres	Directo en el lugar, 15 minutos.
21.	Escalofríos	Tratamiento completo.
22.	Cáncer	En complemento a la quimioterapia, cabeza 3 y 4, delante 1 y 3 y espalda 3.
23.	Cefalea	Cabeza 1, 2 y 3, delante 3 y 4.
24.	Cerebro	Cabeza 1, 2 y 3.
25.	Cicatriz	Directamente en el lugar, de 15 a 20 minutos.
26.	Celos	Cabeza 1, 3 y 4, delante 1 y 3 y espalda 3.
27.	Cólico	Una de las manos sobre el estómago y la otra un poco más abajo.
28.	Columna	Una mano en la base, otra en la zona cervical, recorrer la columna con imposiciones secuenciales, hasta que se encuentren las dos en el centro, cinco minutos en cada punto.
29.	Coma	Cabeza 1, 2 y 3, delante 1, 2 y 3 y espalda 3.
30.	Corazón	Delante 1 y espalda 2.
31.	Espalda	Delante 4, espalda 4 y sobre los dolores.
32.	Culpa (sentimiento de)	Cabeza 1 y 3 y delante 1 y 3.
33.	Decepción/ Desilusión	Cabeza 1, 2 y 3 y delante 1 y 3.
34.	Dientes	Directo sobre el problema.
35.	Depresión	Cabeza 2 y 3, delante 1 y 3 y espalda 1, 2 y 3.

El Karma no es venganza; la venganza no espera a que crezca la víctima, ni se preocupa por su mejoría.

36.	Desánimo	Cabeza 2, 3 y 4, delante 1 y 3 y espalda 3.
37.	Diabetes	Tratamiento completo
38.	Diarrea	Delante 4 y espalda 4.
39.	Digestión	Delante 2, 3 y 4 y espalda 3 y 4.
40.	Diverticulitis	Delante 3 y 4 y espalda 3 y 4.
41.	Dolencias crónicas	Tratamiento completo diariamente.
42.	Dolores	Directamente en la zona.
43.	Drogas (vicios)	Cabeza 2 y 3 y delante 1, 2 y 3.
44.	Eccema	Cabeza 2 y 3, delante 2 y 3, y espalda 3 y sobre el lugar.
45.	Envejeci-miento precoz	Cabeza 1, 3 y 4 y delante 1.
46.	Jaqueca	Cabeza 1, 2 y 3 y delante 3 y 4.
47.	Esclerosis (múltiple)	Tratamiento completo.
48.	Esquizofrenia	Cabeza 1, 2 y 3, delante 1, 2 y 3 y espalda 3.
49.	Fatiga	Cabeza 1, 3 y 4, delante 1 y 3 y espalda 3.
50.	Fiebre	Cabeza 3 y 4 y espalda 3.
51.	Heridas	Directamente en el lugar, (usar como gasa).
52.	Picaduras	Directamente sobre la zona.
53.	Hígado	Delante 2 y 3, y espalda 3.
54.	Fobias	Cabeza 1, 2, 3 y 4, delante 1 y 3 y espalda 3.
55.	Fracturas	Directamente en el lugar después de enyesar.
54.	Fumar (vicio)	Tratamiento completo.
57.	Garganta	Cabeza 4.
58.	Glándulas salivares	Cabeza 4.

El peor de todos los defectos es no tener conciencia de ellos.

59.	Glaucoma	Cabeza 1, 2 y 3.
60.	Gota	Cabeza 2 y 3, delante 2 y 3 y espalda 3.
61.	Gravidez	Cabeza 2 y 3, delante 1, 2, 3 y 4 y espalda 3 y 4.
62.	Gripe, resfriado	Tratamiento completo.
63.	Hemorroides	Delante 4 y espalda 4.
64.	Hepatitis	Tratamiento completo.
65.	Herpes	Directo sobre la zona afectada.
66.	Hipertensión	Cabeza 2, 3 y 4, delate 2 y 3 y espalda 3 y 4.
67.	Impaciencia	Cabeza 2 y 3 y delante 1.
68.	Impotencia	Cabeza 2 y 3, delante 3 y 4 y espalda 3.
69.	Indigestión	Delante 1, 2 y 3.
70.	Infecciones	Cabeza 2, delante 2 y 3, espalda 3, más imposición sobre la zona afectada.
71.	Insomnio	Cabeza 2 y 3.
72.	Juanetes	Directo sobre el lugar.
73.	Rodillas	Directo sobre la zona.
74.	Laringe	Cabeza 4.
75.	Leucemia	Tratamiento completo, dos veces al día.
76.	Enfermedades de la piel	Tratamiento completo, dos veces al día.
77.	Tristeza	Cabeza 4, delante 1 y 3 y espalda 3.
78.	Mal de Alzheimer	Cabeza 1, 2 y 3.
79.	Malaria	Tratamiento completo, dos veces al día.
80.	Mandíbula, maxilar	Directo en la zona afectada.
81.	Memoria	Cabeza 1, 2 y 3.

¡Cómo mejoran las cosas después de que comienzan a gustarnos!

82.	Músculos	Directo sobre la zona.
83.	Menopausia	Tratamiento completo para equilibrar el sistema endocrino.
84.	Nariz	Directo sobre la zona.
85.	Náusea	Cabeza 2 y 3, delante 1 y espalda 3.
86.	Nerviosismo	Cabeza 2 y 3, delante 3 y espalda 3.
87.	Nervio ciático	Una de las manos parada en el glúteo; la otra recorrerá la pierna, desde la planta del pie hasta encontrarse con la otra, en posiciones secuenciales, con cinco minutos en cada punto; hacerlo en las dos piernas.
88.	Neurosis	Cabeza 1, 2 y 3, delante 3 y espalda 3.
89.	Obesidad	Cabeza 1, 3 y 4, delante 2 y 3, espalda 3.
90.	Ojos	Cabeza 1, 2 y 3.
91.	Oídos	Directo sobre la zona, colocar el dedo medio levemente en el canal auditivo.
92.	Ovarios	Delante 4.
93.	Páncreas	Cabeza 1, 2 y 3, delante 2 y 3 y espalda 3 y 4.
94.	Pánico (síndrome)	Cabeza 1, 2 y 3, delante 1 y 3 y espalda 3.
95.	Parálisis	Tratamiento completo, dos veces al día.
96.	Parálisis cerebral	Tratamiento completo.
97.	Parálisis facial	Cabeza 4, zona del rostro, maxilar y detrás de las orejas.
98.	Paranoia	Cabeza 4, delante 1 y 3 y espalda 3.
99.	Parkinson (mal de)	Tratamiento completo, dos veces al día.
100.	PMD (Psicótico maniaco)	Cabeza 2 y 3, delante 3 y espalda 3.

Los milagros suceden en el momento correcto. Esté preparado y sea perseverante.

101.	Pneumonía	Tratamiento completo dos veces al día.
102.	**Presión alta**	Cabeza 4 y delante 1.
103.	**Presión baja**	Cabeza 4 y delante 1.
104.	**Puños**	Directamente sobre la zona.
105.	**Rabia**	Cabeza 2, 3 y 4, delante 1, 3.
106.	**Rechazo** (sentimiento de)	Cabeza 2 y 3, delante 1 y 3 y espalda 3.
107.	**Resaca**	Cabeza 1, 2 y 3, delante 2 y 3, y espalda 3.
108.	**Sangramiento**	Directo sobre la zona.
109.	**Sangramiento nasal**	Pulgar en la parte inferior de la nariz, el índice en la parte superior, la otra mano en la base de la cabeza.
110.	**Senos**	Directo sobre la zona.
111.	**Síndrome de Down**	Tratamiento completo.
112.	**Sinusitis**	Directo sobre la zona, dos veces al día.
113.	**Sordera**	Cabeza 4 y sobre el oído.
114.	**Testículos**	Directo sobre la zona.
115.	**Timo**	Delante 1.
116.	**Tiroides**	Cabeza 4.
117.	**Tontera**	Cabeza 2 y 3, delante 3 y 4 y espalda 3.
118.	**Tos**	Cabeza 4, delante 1, 2 y 3 y espalda 2 y 3.
119.	**Tumores**	Cabeza 1, 2 y 3, delante 3, espalda 3 y sobre la zona afectada.
120.	**Úlcera**	Directo sobre la zona, mínimo dos veces al día.
121.	**Útero**	Delante 4 y espalda 4.

Muchas personas esperan el milagro, en vez de ser el milagro.

122.	**Vesícula biliar**	Delante 2 y 3.
123.	**Vicios (drogas alcohol y otros)**	Cabeza 2 y 3, delante 1, 2 y 3 y espalda 1, 2 y 3.
124.	**Vómitos**	Cabeza 3, delante 1 y 3 y espalda 3.
125.	**Voz**	Cabeza 4 y delante 1.

Todo lo que usted necesita le es dado. Irónicamente, cuando usted se da cuenta de eso, comienza a recibir mucho más.

Parte II
SEGUNDO NIVEL

Capítulo 12

El nivel 2
del Reiki

E L NIVEL 2 del Reiki está a disposición de quienes ya han recibido el primer nivel de parte de un maestro debidamente capacitado para ello. Este módulo implica una nueva sintonización energética, y es obligatorio para que el alumno pueda utilizar con éxito los nuevos conocimientos.

La experiencia comprueba que no existe inconveniente de que el alumno reciba, en un periodo breve de tiempo, el nivel 1 y 2, quedando el alumno sujeto únicamente a un proceso de limpieza más intenso en los veintiún días subsiguientes. Queda al criterio del alumno la decisión sobre el tiempo que debe transcurrir entre las dos sintonizaciones.

El nivel 2 es un grado esencial para quien no solamente se capacita para participar en curaciones, sino que también desea rescatar sus habilidades divinas y obtener la trascendencia de los estados imperfectos y limitados.

Con la nueva iniciación, se abrirán ante el alumno horizontes vastos, y el espectro de sus facultades psíquicas

Cuanto más sepa, menos temerá.

aumentará considerablemente, conduciéndolo a nuevos estadios espirituales. El reikiano pasa a ser un puente de unión con todas las conciencias vivas del planeta y del cosmos, interacción que permitirá que mantengamos el flujo de energía, incluso en condiciones extremadamente adversas.

La nueva modalidad de curación es un proceso singular que permitirá al agente curador llevar al paciente a un nivel en el que la percepción de éste podrá realizar la transformación del karma, promoviendo cambios positivos que alcancen hasta las cadenas del ADN. El proceso inicial del «Despertar» evoluciona hacia el camino de la «Transformación», y el terapeuta pasa a transformar el todo, rescatando su condición de bienestar y paz. Extrapola la condición de estar tratando apenas «ese cuerpo» o «esa condición»; pasa a tratar todos los cuerpos y condiciones actuales, actuando sobre el hombre inmortal.

El reikiano avanza a su vez de una simple actitud de conocimiento a una intervención, sin límites, en su conciencia y en el mundo. El terapeuta pasa a ser una fuente en continuo movimiento del mantenimiento del estado divino.

La capacidad de curar del reikiano queda muy ampliada e intensificada. Será capaz de purificar la energía de cualquier espacio y ambiente, rápidamente.

El nivel 2 opera, principalmente, en los planos emocional y mental, mientras que la curación en el primer módulo se centraba, principalmente, en el cuerpo físico; la actuación de la energía pasará a ocurrir, primeramente, en los cuerpos sutiles de la persona involucrada. Se compren-

Dios concede el progreso a pasos lentos, porque la luz repentina ofusca la visión.

de que la energía vital del universo no se limita a trabajar nada más que sobre un plano, y de una manera lineal, sino que busca la causa del problema, donde ésta se halle, saneando al individuo de modo irreversible.

En este nivel, el alumno se ejercita para tener acceso al inconsciente del paciente. Nos adentramos en una nueva dimensión de curación, que va a permitir que usted se cure a sí mismo o a otras personas, transformando antiguas conductas negativas, en nuevos comportamientos constructivos. Las depresiones con orígenes emocionales, los desórdenes mentales, las desestructuraciones, obsesiones, fobias, vicios, agotamientos nerviosos, tendencias adquiridas en el vientre de la madre o en vidas anteriores, llegan a ser transformadas. Aprendemos a influenciar nuestros pensamientos de manera positiva, a recrearlos y modificarlos para mejor.

El elemento principal del nivel 2 es la curación, a distancia, de personas ausentes. El reikiano podrá enviar la energía divina hacia cualquier lugar, independientemente del espacio y el tiempo. La amorosa energía curativa del Reiki puede enviarse, a partir de este módulo, como si fuese un «puente de luz» o una «flecha energética» que alcanza de lleno un punto previamente determinado.

En la iniciación energética del nivel 2, el alumno es sintonizado a la frecuencia de tres símbolos cósmicos del Reiki. Aprendiendo a trabajar con ellos, llegará a dirigir la energía más allá del plano físico. Adquirirá la capacidad para conseguir dirigir la energía universal, ampliada, más allá de cualquier consideración de tiempo y espacio.

El universo no está contenido en ninguna cosa; se contiene a sí mismo.

Capítulo 13

Los símbolos cósmicos

M IKAO USUI, investigando antiguos sutras budistas mahayanas de las doctrinas de vida reverenciada por los budistas tibetanos, encontró los símbolos que habían sido escritos por un discípulo anónimo del Buda, hacía más o menos 2.500 años. Con esos símbolos, tras un ayuno en el monte Kurama, redescubrió las «claves» de la curación.

El conocimiento de los símbolos, que había sido preservado durante milenios inaccesible al hombre occidental, estaban disponibles y restringidos a la vida monástica, a grupos religiosos, a personas que estaban parcialmente aisladas de la sociedad y liberadas de funciones materiales para la supervivencia.

Según algunas informaciones de investigadores religiosos, hubo una época en que se conocían más o menos 300 símbolos cósmicos, siendo 22 los utilizados asiduamente. Hoy se conocen nada más que cuatro, y tres se enseñan en el nivel 2. Algunos maestros de la escuela tradicional, reconocieron 4 símbolos; otros, de la versión tibetana

Todo es energía; el Cosmos es energía.

del Reiki, reconocen y reclaman la utilización de seis sím
bolos.

Se comenta que los demás símbolos se conservan en el
Tíbet, que hoy está en poder de la China comunista, que
asumió la posición contraria a sus tradiciones y espiritualidad; de este modo, muchos conocimientos se están per-
diendo.

Los símbolos son la esencia del Reiki, son sagrados y
extremadamente poderosos. Se componen de la unión de
mantras (sonidos energéticos) y yantras (dibujos energéticos). Pueden considerarse como botones o interruptores
que, cuando se accionan, se obtienen, automáticamente,
resultados específicos. Los símbolos representan la energía; son una puerta, un acceso hacia los diferentes niveles
de energía de curación.

Los símbolos funcionan automáticamente, no siendo
necesario que la persona esté en estado meditativo. Mediante su utilización, la mente comienza a operar en otras
dimensiones, aun cuando su cuerpo físico permanezca
aparentemente normal. Funcionan como verdaderos saté-
lites que captan señales y las retransmiten reforzadas.

Las informaciones conocidas sobre los símbolos no son
plenas y absolutas. Antes bien, existen muchas otras informaciones sobre sus posibles utilizaciones que permanecen desconocidas, habiendo mucho campo para investigaciones, incluso personales. Particularmente, hice muchos
avances en la investigación.

Los símbolos del Reiki son instrumentos vibratorios
para la captación, intercesión y restauración de la energía
primordial cósmica. Son poderosos recursos auxiliares

A partir del descubrimiento de Albert Einstein (1945), los hom-
bres comprendieron que lo que pueden tocar, oler, ver y oír es me-
nos de una millonésima parte de la realidad.

para la curación, permitiendo la conducción y ampliación de la energía, que puede llegar a ser transmitida fuera del tiempo y del espacio de esta dimensión, pasa a limpiar energéticamente a personas, lugares y objetos, conduciendo a importantes aperturas en los procesos inconscientes y a una mayor vislumbre de nuestras capacidades físicas y extrasensoriales. Es muy común, durante sintonizaciones energéticas del nivel 1, módulo en el cual el alumno todavía no trabaja con símbolos, que éstos visualicen «escrituras extrañas». Cuando les pido que dibujen lo que vieron, en general dibujan uno o más símbolos perfectamente, a pesar de la complejidad de algunos. Hubo casos de alumnos que dibujaron todos correctamente.

Sin la sintonización realizada por un maestro capacitado, los símbolos no funcionan; esto ha sido probado muchas veces. Es como un televisor o una radio que está fuera de sintonía; luego, la sintonización es fundamental para asegurar la confiabilidad de la técnica. Este precepto primordial garantiza la inalterabilidad del proceso y de los consecuentes resultados, garantizando al terapeuta y al paciente la certeza de los efectos y la confiabilidad de la propia técnica Reiki.

Los símbolos deben ser diseñados correctamente. Para activarlos, pueden ser dibujados en el aire con las manos o visualizados en la mente. No existe una única manera de dibujar correctamente los símbolos; existen variaciones de maestro a maestro. La maestra Takata no dibujaba siempre los símbolos de la misma forma. Hubo variaciones entre los símbolos de los primeros 22 maestros a quienes ella enseñó. Probablemente haya sido orientada a hacer variantes

Haga lo correcto, no importa lo que piensen los demás.

de los símbolos a cada alumno, dependiendo de las vibraciones de aquel momento y de cada uno. Los alumnos deben seguir las orientaciones y la manera que les enseñó su respectivo maestro.

Se nota que hay alumnos que pasan bastante tiempo aprendiendo a dibujar correctamente los tres símbolos del nivel 2, pero no intentan comprender a fondo lo que son estos símbolos y para qué sirven.

Siempre que utilizamos un símbolo, su mantra correspondiente debe ser repetido tres veces.

Amamos las cosas y nos aprovechamos de las personas, cuando deberíamos amar a las personas y aprovecharnos de las cosas.

Capítulo 14

En secreto de los símbolos

A PESAR de que los símbolos son universales, es costumbre de la escuela tradicional del Reiki afirmar que los símbolos son secretos y que deben mantenerse en forma confidencial. El principal argumento para justificar el secreto es que son sagrados; otra justificación para mantener el secreto de las enseñanzas de los niveles 2 y 3 es que podrían causar daño si cayesen en manos indebidas. Exigen que los símbolos sean revelados, en confianza, solamente a las personas que han recibido las iniciaciones fundamentales que los activa. Cada persona asume el compromiso de mantenerlos confidenciales.

Muchos maestros no permiten a los alumnos llevarse copia de los símbolos: deben estudiarlos en los seminarios y prometer que no se llevarán copias a la casa. Al final del seminario, los borradores se queman. Una vez en casa, el alumno acaba olvidando los detalles; la memoria humana está lejos de ser perfecta, y las personas acaban utilizando los símbolos deformados, lo que perjudica la eficacia del tratamiento. Este hecho, en particular, me sucedió a mí al

Dios dotó al hombre de una boca y dos oídos, para que oiga el doble de lo que habla.

principio. Tuve la oportunidad de encontrarme con grandes deformaciones en los símbolos, principalmente en el que sirve para enviar energía a distancia.

Obtuve entrenamiento en Reiki con varios maestros en diferentes versiones, tanto sobre los métodos más tradicionales, como sobre los más modernos, y llegué a la conclusión de que vivimos en un mundo de transformación, y la técnica Reiki también tiene que evolucionar.

En mis seminarios de nivel 2 siempre hago entrega de los símbolos junto con la guía, y el alumno puede llevárselos a su casa; esto ha facilitado siempre mucho el aprendizaje del estudiante.

Me llevé un gran susto cuando, en una librería esotérica popular, fuera de Brasil, me encontré con los símbolos del Reiki, publicados en el libro *The Challenge to Teach Reiki*, de A. J. Mackenzie Clay (New Dimension, Australia), que fue el primero (1992) en hacerlos públicos. En el mismo día me encontré con los símbolos en otro libro a disposición de cualquier ciudadano común, el *One Step Forward for Reiki*, de Byron Bay, también de la New Dimension (1992), informando inclusive sobre la utilización de los mismos.

Pocos meses después, la Maestra norteamericana Diane Stein, en su obra *Essential Reiki*, publicó todos los símbolos con sus correspondientes utilizaciones.

En Brasil tuvimos la oportunidad de encontrar los símbolos publicados en la revista *Amaluz*, número 39, año 4, del mes de abril de 1996, que se encontraba en cualquier quiosco. La información tenía su origen en la maestra norteamericana Lori George.

Los que saben poco hablan mucho, los que mucho saben poco hablan.

Recientemente, navegando por Internet, me encontré con todos los símbolos a la disposición de cualquiera, en la siguiente dirección pública:

htpp://members.aol.com/reikiteach/whatare.html

Fue cuando comencé a cuestionar mucho el tal secreto de los símbolos. Según mi experiencia, y la de otras personas, es imposible desviar el Reiki para fines perniciosos. Si alguien pretende usar el Reiki con finalidad no positiva, no va a tener éxito. No consigo creer que los símbolos pudiesen ser usados para el mal, ni que pudiesen hacer daño a alguien; en último caso, se trata de la energía de la fuerza vital universal, que está a nuestro alrededor, y es una energía de mucha luz.

Sabemos también que la energía regresa siempre al emisor; lo que usted transmite siempre regresa a sí mismo, sea para el bien o para el mal, en el caso de otras prácticas y técnicas que nada tienen que ver con el Reiki.

Deseo que el Reiki vuelva a ser universal, como lo fue en otras épocas.

Mis métodos de enseñanza son los más modernos; se trata de sistematizar un método de curación que funcione de manera óptima, poniendo fin al «secreto» y colocando lo «sagrado» a disposición de quien necesita y desea tenerlos. Ya no hay más tiempo ni espacio para el «secreto»; hemos entrado en la Era de Acuario, el día 29 de enero de 1998. Por esta razón y otras, consultando con mis mentores, que me incentivaron, tomé la polémica decisión de divulgarlos en Brasil, pues en el exterior ya lo habían hecho. Explicarlos correctamente en este libro

Pase la vida elevando a las personas, y no infravalorándolas.

evitará la desfiguración que venía sucediendo en los símbolos.

No faltará quien esté en desacuerdo con estos métodos y salga diciendo que mis métodos no son Reiki.

Quien no sabe repartir, no sabe amar.

Capítulo 15

Los símbolos del nivel 2

15.1. Choku Rei

E L PRIMER símbolo del Reiki, es el Choku Rei; es el más poderoso del grupo; su utilidad consiste en que aumenta la capacidad, la fuerza o potencial de la energía utilizada en el nivel 1. Luego debemos utilizarlo en cualquier ocasión.

Permite la conexión inmediata con la energía vital cósmica. Es el símbolo del poder, que trae la energía del plano espiritual hacia el mundo físico. Cuando trazamos la espiral del símbolo, traemos la energía al plano físico, la cual se concentra y enfoca en un punto. Y como si cambiamos una lámpara de 100 por otra de 200 vatios, o si cambiamos la red eléctrica de 110 por otra de 220 voltios, este aumen-

Es muy importante tener una atmósfera amorosa en su casa. Haga todo lo que pueda para tener un hogar tranquilo y armonioso.

to hace que la energía Reiki permanezca actuando muchas horas más sobre el paciente y en el ambiente, incluso después de haber concluido la aplicación. El ambiente tiene su campo áurico saneado con el Choku Rei, pues éste transmuta energías de niveles inferiores hacia un patrón más elevado.

El Choku Rei recibe otras varias denominaciones, principalmente se le llama «el interruptor de la luz», pues funciona como tal. Recibe otros significados como: «inmediatamente», «alinearse con el cosmos», «Dios está aquí» o, como prefiero llamarlo, «Energía Cósmica Universal aquí y ahora».

El Choku Rei tradicional se dibuja en el sentido contrario a las agujas del reloj; sin embargo, hay otros maestros que lo utilizan con éxito, en el sentido inverso. El factor determinante, en verdad, es la intención. Si la propuesta es la de multiplicar la energía y traerla hacia el plano físico, el resultado ocurrirá. Mi orientación en los seminarios es a favor de que se utilice en sentido contrario a las agujas del reloj.

En la figura explicativa, los trazos delgados indican el sentido en que debemos dibujarlo; es fundamental memorizarlo y trazarlo con exactitud.

15.2. Sei He Ki

El símbolo Sei He Ki es el segundo del grupo. El dibujo de este símbolo se parece a un dragón; en la simbología antigua, el dragón significaba protección, y escupía el fuego

Las cargas más pesadas de esta vida son las cargas emocionales. Preocupaciones con el pasado, inquietudes sobre el futuro. Iluminar la mente es liberarla de esa carga.

de la transmutación. Dicen
que es el más primitivo; cuando observamos la cultura pri-
mitiva, observamos varios símbolos semejantes, a semejanza
de los muares de la Isla de Pas-
cua. Este símbolo introduce la
divinidad en la energía humana y alinea los cuatro chakras
superiores.

Cuanto más practicamos
actividades terapéuticas, más
certeza tenemos de que la gran
mayoría de los problemas físicos tienen un origen emocional. Sentimientos como el miedo, la inseguridad, la ira, el
odio, la tristeza, las frustraciones, la pena, la culpa, la so-
ledad, la depresión, las crisis nerviosas, son los causantes
de las enfermedades humanas. Cuando utilizamos el Sei
He Ki, nos dirigimos más específicamente al cuerpo emocional que, en muchos casos, constituye la clave de la curación; por lo tanto, recomendamos la utilización del Sei
He Ki en la mayoría de los tratamientos.

Este símbolo diluye los patrones negativos presentes en
cualquier conflicto sensorial (sentimientos, recuerdos, etcétera), ayudándonos a descubrir dentro de nosotros las
causas escondidas de nuestro consciente; las causas profundas. Así es más fácil curar, pues este símbolo hace que
la persona descubra dónde se encuentra el problema con
el que necesita trabajar, lo que le conduce al origen de los
patrones mentales negativos; cosas más profundas como

los recuerdos pasados, relacionados con la infancia, la condición intrauterina, los hábitos indeseables, los vicios, los registros kármicos y los recuerdos negativos de otras vidas.

Trabaja principalmente los chakras cardiaco y plexo solar, que reciben más directamente la energía de nuestro cuerpo áurico emocional, curándonos de los bloqueos emocionales que se hallaban seguros en esta zona de nuestra aura. La persona receptora vuelve a conectarse con este aspecto emocional en forma suficiente como para procesarlo y curarse de ello. Existen varias definiciones para estos símbolos, como: «purificación», «llave del universo», «el hombre y Dios se hacen uno solo», «reunión de Dios con el hombre», o, como yo prefiero, «emocional».

He visto menos variaciones, deformaciones y versiones del Sei He Ki en comparación con los demás símbolos. Existe solamente una variación que lo ensancha. A pesar de variar poco, con frecuencia se presentan diversas opiniones acerca de su utilización.

15.3. Hon Sha Ze Sho Nen

El símbolo Hon Sha Ze Sho Nen es el tercero del grupo, y dirige la energía para que actúe sobre la mente consciente, el cuerpo mental. Difiere del Sei He Ki en que se centra sobre el subconsciente y lo emocional.

Este símbolo es utilizado para enviar Reiki a distancia: la energía puede ser enviada al otro lado de una sala, a otro barrio, a otra ciudad o país, con la misma eficiencia. Cuando se utiliza este símbolo comienza a dejar de existir el es-

Esté siempre mejor preparado que lo que cree que va a necesitar.

pacio o barrera de la distancia entre el practicante y el receptor,
pues permite la interacción dirigida de campos áuricos, ampliando el espacio de actuación, que
se transforma; pero ésta es solamente una de las múltiples utilizaciones de esta figura poderosa.

El símbolo de la distancia puede
ser utilizado para transponer el
tiempo. Es un instrumento de intervención en las «ondas cuánticas», que conduce a un «continuo»
de tiempo, donde quedan rotas
las relaciones de tiempo pasado,
presente y futuro. Es decir, es el
símbolo que se utiliza para enviar
energía al pasado o al futuro. Se
utiliza cuando pretendemos olvi-
darnos del concepto de tiempo y espacio; es la conexión
para el envío de energía de curación a distancia, el puente
hacia otros seres, otros mundos, otros niveles de percepción.

Los registros akásicos describen la deuda kármica, las
obligaciones, los compromisos y el destino de cada uno. El
Hon Sha Ze Sho Nen constituye una vía de acceso a los registros akásicos; como consecuencia, una de sus aplicaciones principales consiste en sanar el karma, haciéndose posible descubrir y resolver deudas kármicas.

La traducción del mantra Hon Sha Ze Sho Nen como
«ni pasado, ni presente, ni futuro», nos proporciona una

Una billonésima de segundo puede tener la duración de
una vida.

indicación de sus múltiples usos. Puede ser traducido, también, como: «la divinidad que existe en mí saluda a la divinidad que existe en ti», «el Buda que existe en mí va al encuentro del Buda que existe en ti», o, como prefiero utilizar en mis seminarios, «la casa de la luz brillante (la casa de Dios) venga a mí en este momento (inmediatamente)».

He observado una variante interesante en los trazados de este símbolo, y oriento a mis alumnos de nivel 2 y 3 a que utilicen cualquier versión que estén acostumbrados a emplear; todas ellas funcionan. Creo, particularmente, que de todas las versiones conocidas no existe ninguna que sea absolutamente correcta.

No queme los puentes después de atravesarlos. Se quedará sorprendido al ver cuántas veces tendrá que cruzar el mismo río.

Capítulo 16

Utilización de los símbolos

16.1. Utilización del Choku Rei

E L SÍMBOLO puede ser dibujado en el aire con la mano si fuese necesario; otras personas relacionadas con este ambiente podemos dibujarlo mentalmente, lo que es suficiente como para crear la conexión. Siempre que se trace el símbolo, debe repetirse el mantra tres veces.

En ocasiones, casas y locales antiguos retienen ciertas energías nocivas de anteriores moradores, comportándose como si fuesen verdaderos archivos. El Choku Rei puede utilizarse para purificar ambientes y promover una limpieza inmediata de residuos negativos, emanaciones, en forma etérica, de enfermedades físicas, mentales y energías psíquicas negativas (formas-pensamiento), provenientes de sentimientos de rabia, odio, tristeza, etc., que saturan determinados locales. Debe dársele atención, trazando el símbolo en las esquinas de los ambientes, pues la energía se mueve en círculos y tiene tendencia a concentrarse en

Quien hace, yerra algunas veces; pero quien nunca hace, está en continuo error.

las esquinas. Cuanto más utilice el Choku Rei, más energía benéfica crea usted dentro de casa.

Antes de sentarse en una silla, se recomienda dibujar el Choku Rei sobre la misma, para transmutar su energía. Lo mismo puede hacerse sobre una cama de hotel, o sobre cualquier objeto, como una toalla, ropa, etc.

Podemos utilizarlo en alimentos, en agua, etc., que, de estar desenergizados, pasan a estar saludables y curativos. Utilizamos el Choku Rei para los medicamentos, teniendo como objetivo potenciar sus efectos positivos y minimizar posibles efectos secundarios indeseables.

Puede utilizarse el símbolo para la autoprotección, la protección de su familia, de su casa, de puertas, de ventanas, de su vehículo, etc. El Reiki funciona en todos los niveles; en consecuencia, la protección es general, incluso contra agresiones y ataques psíquicos. Podemos utilizarlo para proteger el aura y los chakras antes de realizar un tratamiento. Trazamos el Choku Rei en las palmas de las manos y delante del cuerpo; enseguida delineamos nuevamente el símbolo, acercando la mano hacia cada uno de los chakras (de abajo arriba) y repitiendo el mantra siempre tres veces. Con ello estará sellando su cuerpo contra posibles energías maléficas.

Cuando se tiene un pensamiento negativo, se debe trazar inmediatamente el Choku Rei; de ese modo el pensamiento se transmuta, mandando la energía a niveles más altos.

Puede envolver con un gran Choku Rei a un ladrón que desea asaltarlo, o a un guardia de tráfico malintencionado.

Errar es aprender. Y, con certeza, no hay mejor guía para el éxito que las lecciones que enseñan los propios errores.

En el autotratamiento, al igual que al atender a otras personas, antes de la aplicación, visualizaremos el símbolo sobre el chakra coronario, en el sentido de la frente hacia la nuca; de esa forma, los canales eléctricos del cuerpo se desbloquearán y se limpiarán más rápidamente, aumentando la capacidad de absorción de la Energía Vital del Universo y, consecuentemente, disminuyendo el tiempo mínimo de aplicación en cada posición de 5 a 2,5 minutos.

El Choku Rei actúa, principalmente, sobre el cuerpo físico durante la curación. Sólo es necesario dibujar el símbolo una vez para cada tratamiento; si el tratamiento tuviera que ser interrumpido, se deberá recomenzar con el Choku Rei en la misma posición en que se detuvo (posiciones del nivel 1).

Este símbolo no debe ser utilizado por alumnos no sintonizados con el nivel 2.

16.2. Utilización del Sei He Ki

El Sei He Ki actúa sobre el cuerpo emocional o subconsciente; equilibra ambas partes del cerebro, generando armonía y tranquilidad. Este símbolo tiene numerosas aplicaciones; incluso muchas no se enseñan en seminarios convencionales. Puede utilizarse para cambiar o erradicar vicios, hábitos y costumbres indeseables, como, por ejemplo, el consumo de drogas, alcohol, cigarros, compulsiones como la de comer de más, por gula, comerse las uñas, robar, fobias, etc.

Perseverar es uno de los grandes secretos del éxito. Muchas cosas en la vida dependen de la continuidad de la perseverancia, que todo lo alcanza.

El Sei He Ki pone de manifiesto emociones internas escondidas, liberando energías negativas de rabia, tristeza, depresión, miedo, nerviosismo, etc. Puede usarse para mejorar la memoria y tratar la causa de la obesidad.

Para hacer un tratamiento debe seguirse la secuencia siguiente:

a) Colocar la mano no dominante sobre la cabeza del paciente, y con la mano dominante trazar el Choku Rei y repetir el mantra tres veces.

b) Comenzar el tratamiento en la primera posición de la cabeza.

c) Espere hasta que exista una conexión energética y el Reiki comience a fluir; espere más o menos 2,5 minutos.

d) Imponer las manos durante 2,5 minutos en la segunda posición de la cabeza.

e) Colocar la mano no dominante en la nuca (base del cráneo) y la otra en la frente.

f) Retirar la mano de la frente, dibujar el Sei He Ki sobre el chakra coronario del paciente y repetir tres veces el mantra.

g) Dibujar el Choku Rei una vez y repetir tres veces el mantra.

h) Recolocar la mano dominante en el chakra frontal.

i) Utilizar afirmaciones, mentalizaciones y visualizaciones (3 veces).

Observaciones: En este momento se produce una conexión profunda con el nivel psicológico, con la mente inconsciente (subconsciente) del paciente. Usted obtendrá resultados todavía mejores si utiliza, en unión a esa técni-

Asuma consigo mismo el compromiso de estar siempre mejorando.

ca, afirmaciones positivas, mentalizaciones o visualizaciones de la curación, que serán absorbidas directamente por el cuerpo emocional del paciente. La afirmación tiene que ser repetida tres veces, hasta que se convierta en realidad. En una afirmación nunca debemos utilizar palabras negativas como, por ejemplo, «¡No quiero fumar!»

Este ejercicio es poderoso para hacer que la persona recuerde vidas anteriores.

Los animales domésticos, que mantienen lazos de cariño muy intensos con sus amos, son propensos a participar del malestar de los mismos, aportando sacrificios tales como miedos, depresiones, frustraciones, etc. Los animales pueden absorber cargas de sus amos y de sus casas, llegando hasta a fallecer. Asumen la tarea de purificar el ambiente en el que habitan.

El Sei He Ki es tan eficiente para aliviar a los animales como a los seres humanos.

16.2.1. Ejemplos de afirmaciones

- Usted tiene salud en su cuerpo físico y equilibrio en su mente.

- A partir de ahora comienza a sentir su cuerpo perfectamente bien.

- Su (mi) salud es perfecta, y todo su (mi) cuerpo y sus (mis) órganos funcionan muy bien.

- En el plano sexual de la vida, su desempeño es satisfactorio y compensador, suceda lo que suceda.

Si cree que debe continuar siendo del modo que siempre fue, está, en verdad, cuestionando su crecimiento.

- Su inteligencia es maravillosa; usted siempre tiene pensamientos e ideas maravillosas.
- A partir de hoy, usted dormirá en paz, tendrá el sueño tranquilo y, al despertarse, sentirá alegría, buena disposición y tendrá un día perfecto y feliz.
- Usted es una persona inteligente y capaz.
- Usted es feliz, saludable, alegre y tranquilo.
- Usted está en paz consigo mismo y se acepta tal y como es.
- Usted tiene el peso ideal, sin dietas; tiene una imagen de salud, belleza y armonía.
- Su razonamiento es rápido, y su memoria es excelente; ambos operan sólo con ideas y pensamientos positivos.
- Usted tiene el mando positivo de su mente.
- A partir de hoy, y para toda la eternidad, usted mismo hace su felicidad.
- Cada día, en cada aspecto, usted se está volviendo cada vez mejor.
- Usted consigue mantener la cabeza constantemente ocupada con pensamientos siempre positivos.
- Todo lo que usted piensa de bueno sucede, y cada día que pasa se siente cada vez más feliz.
- Usted está en armonía consigo mismo, con todas las personas y con todo el universo.
- Todo lo que desea de bueno, llega a usted con mucha facilidad.
- Usted tiene un futuro maravilloso.
- Usted resuelve todos los problemas, los ve con naturalidad y consigue siempre buenas soluciones.

Vaya hasta el fin. Cuando acepte una tarea, termínela.

- Usted está evolucionando cada vez más.
- Su cuerpo, su mente y su vida material están en perfecta armonía.
- Usted es cada vez más osado; siempre ve en el horizonte la llama de la victoria brillando intensamente.
- Usted tiene suerte a cada instante, todos los días; porque Dios está con usted.
- Usted siempre consigue todo lo que quiere de bueno; todas las riquezas del universo están a su disposición.
- Usted tiene una casa limpia, confortable y bonita; y en ella mora la paz, la prosperidad y el amor.

16.2.2. Consideraciones sobre las afirmaciones

Los pensamientos pueden considerarse como cuerpos vivos, cuya formación se lleva a cabo mediante la combinación activa de la materia astral con la fuerza mental del hombre. Los pensamientos son los que atraen y crean lo que nos sucede.

Afirmar significa «volver firme». Las afirmaciones tienen que ser siempre positivas, pues el subconsciente es muy directo, sin estrategia ni designios. Si permanece diciendo: «Odio mi empleo», a pesar de que se cambie a otro empleo mejor, comenzará a odiarlo enseguida, pues usted está programado con la repetición continuada. Declare sus deseos en forma positiva, como: «Me gusta mi profesión, deseo siempre lo mejor para mí». Hacer una afirmación es como plantar una semilla; ella no se transforma en un árbol en sólo una noche, o en una semana. Tenga paciencia

No permita que el teléfono interrumpa momentos importantes. Usted tiene un aparato para su conveniencia, no para la de quien llama.

consigo mismo. Debido a su condición o a la de su paciente, cuando oiga por primera vez una afirmación, le podrá parecer absurda; sin embargo, insista y espere los resultados.

Su subconsciente es como un ordenador que puede ser reprogramado.

16.2.3. La utilización del Hon Sha Ze Sho Nen

La mayor parte de las personas necesitan algún tiempo para memorizarlo y poder dibujarlo correctamente. Debemos practicar siguiendo el orden correcto mostrado por los trazos más delgados para que quede lo más parecido posible a la ilustración.

Se recomienda la visualización de los símbolos en color violeta, inclusive el Sei He Ki y el Choku Rei; sin embargo, la práctica demuestra que el efecto también es positivo con cualquier color.

Los chakras, a través de los cuales fluye la energía, se localizan principalmente en las palmas de las manos; por consiguiente, para visualizarlo, lo mejor es practicar dibujándolo en el aire, utilizando la mano entera en forma de concha. Esto se aplica también a los otros símbolos.

El Hon Sha Ze Sho Nen se utiliza para la curación y energización a distancia, en personas ausentes, así como también en sesiones de imposición de manos y autotratamiento, pues éste actúa también sobre el cuerpo mental y la mente consciente.

Cuando pierda, no pierda la lección.

Este símbolo trabaja sobre los chakras de la garganta, frontal y coronario, y es una de las llaves energéticas más potentes y complejas, siendo una vía de acceso a los registros akásicos, o sea, una de sus aplicaciones es la curación del karma.

Los símbolos del Reiki deben ser siempre usados en orden decreciente; es decir, primero el Hon Sha Ze Sho Nen, después el Sei He Ki (cuando el paciente presenta también problemas emocionales) y, por último, utilizaremos el Choku Rei.

En un tratamiento, ante la duda de qué símbolo utilizar, use los tres: de esa manera evitará hacer juicios y diagnósticos; sin duda, no es malo utilizar todos siempre.

Este símbolo actúa sobre las ondas cuánticas, proporcionando acción fuera del tiempo usual (presente). Cuando se le envía al pasado, el Reiki puede ayudar a curar traumas de la infancia o hasta de vidas anteriores; al influir sobre un acontecimiento pasado lo reprogramamos. El presente y el futuro reaccionan también en una especie de efecto dominó; equivale literalmente a transformar el futuro.

En ese caso se puede utilizar una foto de la época del trauma. Si no dispone de la foto, y no conoce la fecha en la que ocurrió el trauma, limítese simplemente a pensar en el problema y a pedir, con afirmaciones, que el Reiki vaya hacia la causa y la cure.

Cuando la energía del Reiki se envía al futuro, puede ser almacenada o acumulada, como si fuese una pila o batería, que se recibirá en la hora previamente determinada.

No es descendiendo como puede levantar a los que están abajo. Suba y muéstreles el camino. La lámpara apagada jamás iluminará la oscuridad.

Esta técnica será de gran utilidad para una entrevista de empleo, una audiencia ante la justicia, una consulta médica u odontológica, un viaje aéreo o por barco, una reunión cualquiera, un examen académico o de oposiciones, o cualquier situación de estrés. Cuando nos percatamos claramente de que el factor desencadenante del desequilibrio se encuentra en un acontecimiento pasado, o queremos programar la energía para el futuro, debemos colocar las dos manos en la parte superior de la cabeza, sobre el chakra coronario, y visualizar el Hon Sha Ze Sho Nen, seguido del Sei He Ki. En este momento hacemos una afirmación tres veces, dirigida a la época en la que deberá actuar la energía, y enseguida visualizamos el Choku Rei. No olvidarse de repetir siempre los mantras correspondientes tres veces.

Si usted sabe volar, no se desprenda de sus alas con pena por los que no saben. No sea infeliz o pobre porque existan tantos infelices y miserables.

Capítulo 17

Autoaplicación del segundo nivel

P ODEMOS UTILIZAR la técnica patrón de autoaplicación con las catorce posiciones básicas del primer nivel, precedida por el accionamiento de los símbolos 3, 2 y 1, en esta secuencia obligatoriamente. El tiempo mínimo por posición se reducirá de 5 a 2,5 minutos, totalizando 35 minutos para un tratamiento completo.

La tercera posición de la cabeza se utilizará modificada para alcanzar mejores resultados: ahora colocamos una de las manos en la frente (sexto chakra) y otra sobre la nuca.

Podemos utilizar una poderosa técnica de correspondencia que proporcionará un tiempo de autoaplicación de apenas 7,5 minutos, de la siguiente forma:

a) Dibuje con la mano dominante, encima de su chakra coronario, el tercer símbolo; pronuncie tres veces el mantra.

b) Con la mano dominante, y encima de su chakra coronario, trace el segundo símbolo; pronuncie tres veces el mantra.

No diga que no tiene tiempo suficiente. Usted tiene exactamente el mismo número de horas por día que dispusieron la madre Teresa de Calcuta, Thomas Edison y Albert Einstein.

c) Escoja una de sus rodillas y afirme, tres veces, que ella corresponderá a las cuatro posiciones básicas de la cabeza.

d) Trace con la mano dominante, encima de su chakra coronario, el primer símbolo (Choku Rei). Coloquen las dos manos sobre la rodilla, una al lado de la otra, en concha. Pronuncie tres veces el mantra, manteniendo las manos en esta posición durante 2,5 minutos.

e) Haga resbalar las manos, llevándolas, sin levantarlas, hacia el muslo de la misma pierna. Afirme tres veces que esta posición corresponderá a las cuatro posiciones básicas de la parte de delante de nuestro cuerpo. Mantenga las manos en esta posición durante más de 2,5 minutos.

f) Lleve las manos, una de cada vez, hacia el otro muslo. Afirme tres veces que ello corresponderá a las cuatro posiciones básicas de la espalda, más las dos posiciones de los pies. Mantenga fluyendo la energía en esta posición durante más de 2,5 minutos, totalizando 7,5 minutos para su autoaplicación en todo el cuerpo.

Esta técnica puede utilizarse cuando aplicamos energía sobre otra persona presente y deseamos reducir el tiempo de aplicación a 7,5 minutos en el segundo caso y a 35 minutos en el primer caso.

Podemos trabajar en el autotratamiento de forma intemporal, enviando energía hacia determinadas épocas del pasado, de forma que entre en mayor armonía con el presente y modifique nuestro futuro. Podemos trabajar rechazos en el útero materno, situaciones traumáticas próximas al nacimiento, traumas de infancia, adolescencia, etcétera.

Vuélvase especialista en la administración de su tiempo. No hay cómo recuperar el tiempo perdido.

Acuérdese de que el Reiki funciona más allá del tiempo y del espacio, que son dimensiones continuas, siendo una función de la otra.

Una manera es dibujar los símbolos haciendo afirmaciones. Para que la energía actúe en determinada época, aplicamos energía sobre una foto sacada en esa época. Otra forma es aplicar la energía sobre el chakra coronario, afirmando que debe seguir hacia el pasado, y actuar en una época preestablecida.

La oración perfecta es aquella que viene de dentro hacia fuera, y no la que va de fuera para dentro. La verdadera oración nace en el corazón. El diálogo con el Padre se hace ahí dentro y no aquí fuera. El Padre está en el Cielo de la mente y no en el cielo de la boca.

Capítulo 18

La curación a distancia

L A CURACIÓN a distancia no solicitada es una invasión de la privacidad; es siempre aconsejable obtener el permiso y consentimiento de la persona hacia quien se pretende enviar el Reiki a distancia. Debemos respetar la voluntad ajena y el libre albedrío de la persona receptora; imponer a alguien una curación no deseada es totalmente contrario a la ética terapéutica. La persona tiene derecho a mantener su malestar, si así lo prefiere.

La petición de autorización, en algunos casos, puede hacerse mentalmente, a través de la conexión con el Yo Superior de la persona que iría a recibir la energía; esto cuando tenemos una vinculación mayor con la persona a ser tratada como, por ejemplo, cuando se trata de parientes próximos o amigos íntimos.

Existen maestros que afirman que podemos mandar Reiki a distancia a quien queramos, alegando que el Reiki es una energía de amor y que no necesitamos de autorización para amar a alguien. Particularmente, no estoy en desacuerdo con esta tesis; sin embargo, he observado inten-

Una vela no pierde nada cuando, con su llama, se enciende otra vela que se estaba apagando.

sas contaminaciones energéticas en el campo áurico de terapeutas que lo hacen así. Tenemos una experiencia profunda cuando enviamos curación a distancia hacia personas que están pasando por el proceso de fallecimiento;
cualquier situación no resuelta o mal resuelta, entre nosotros
y esta persona, se solucionará. La curación a distancia es de
gran valor cuando el contacto directo podría resultar doloroso, en el caso de una quemadura, por ejemplo, o cuando
existe el riesgo de infección para el receptor, o el contagio
para el reikiano.

Esta técnica crea un vínculo de conexión con la persona a quien se hace la curación. Sucede una conexión o ali-
neamiento con todos los niveles, inclusive los superiores.
La energía se irradiará del séptimo al primer nivel energético y, por esa razón, es importante permanecer conscientes ante la experiencia y observar lo que ocurre. En algunos casos es importante combinar la hora más adecuada
para la energización; algunas personas acostumbran a quedar somnolientas e incluso dormirse; sufrir cierta pérdida
de reflejos y coordinación motora; sentir calor, escalofríos
y presión en la cabeza, aunque sea momentáneamente; dependiendo de la actividad que estuviera ejerciendo la persona en aquel momento, estos factores podrán presentar
riesgos. Ejemplos: como en el caso de estar conduciendo
un coche de Fórmula 1, un avión o, incluso, en caso de
tratarse de un médico cirujano...

Un grupo de reikianos irradiando energía al mismo
tiempo hace que el Reiki se eleve al cuadrado. Ejemplo:
cinco personas irradiando simultáneamente equivalen a
veinticinco trabajando en grupo. En consecuencia, procu-

Esté presente cuando las personas necesiten de usted.

ren participar de grupos de trabajo para que los resultados sean mejores.

Cualquiera que sea la técnica de curación a distancia, el ideal es encontrar un ambiente tranquilo donde nadie nos pueda interrumpir. Cierre la puerta, desconecte el teléfono, atenúe la luz. Una buena opción es encender una vela (elemento fuego) para tener una suave claridad. Debemos sentarnos cómodamente, con las piernas y brazos no cruzados.

Es importante, en cualquier caso, visualizar el rostro y el nombre de quien ha de ser energizado; si usted no conoce a la persona, utilice una foto para facilitar la visualización; en caso de que una foto no sea posible, utilice el nombre completo de la persona y la dirección.

Podemos utilizar el tratamiento a distancia para enviar Reiki a ciertas zonas de nuestro propio cuerpo que son de difícil acceso, como la columna, por ejemplo; y visualizarla entre nuestras manos.

La curación en una persona que se encuentra en el mismo ambiente, aunque en el otro lado de la sala, ya se considera a distancia, por encontrarnos fuera del campo áurico de la misma. En la curación a distancia, el tratamiento sucede primero en el aura, para después acontecer en el cuerpo físico.

Podemos utilizar la curación a distancia para mandar Reiki hacia personas que aparecen en la televisión, la radio o los periódicos, que se hayan visto envueltas en accidentes o que, por cualquier otro motivo, necesiten de ayuda.

Recordemos que el Hon Sha Ze Sho Nen es el símbolo que transmite Reiki a través del espacio y el tiempo; por lo tanto, debe utilizarse en toda curación a distancia.

Cuando te mueras, sólo te llevarás aquello que hayas dado.

Los símbolos son siempre dibujados o imaginados en el aire y en orden inverso, o sea, primero el Hon Sha Ze Sho Nen, seguido del Sei He Ki, y por último, el Choku Rei. Para cada símbolo repetimos el mantra correspondiente tres veces. En el Reiki existen muchos métodos de curación a distancia; sin embargo, los más conocidos son cuatro:

18.1. Técnica de la reducción

Reduzca, imaginariamente, el tamaño del receptor, visualizando la persona entre sus manos. Dibuje el símbolo 3, seguidamente el 2, afirme tres veces que la persona se encuentra entre sus manos; a continuación trace el símbolo 1. Realmente, tendrá a la persona entre las manos; procure desarrollar la sensibilidad para sentir esto.

Cuando ayude a alguien, en verdad, se está ayudando a sí mismo. De cierta manera, este proceso funciona como un espejo: todo lo que haces a los demás, se refleja en sus caminos.

18.2. Técnica del sustituto

La técnica del sustituto pone énfasis en el cuerpo físico, en los órganos, glándulas, huesos, etcétera. Esta técnica se utiliza para tratar un problema específico. En este caso, utilizamos una tercera persona, una muñeca, un oso de peluche o algo similar; una almohada, o incluso a nosotros mismos, como modelos para representar a la persona receptora.

Primeramente visualizamos sobre el chakra coronario, el símbolo 3 (mantra tres veces), seguido del 2 (mantra tres veces), visualizamos y mentalizamos a la persona y su nombre tres veces; seguidamente trazamos el símbolo 1.

Realizamos la aplicación de manera tradicional sobre el modelo, dirigiéndola al órgano específico afectado de la persona que está recibiendo el tratamiento. La energía alcanzará al mismo tiempo y con igual intensidad a la persona y al modelo.

Nunca decida no hacer nada sólo porque puede hacer poca cosa. Haga lo que pueda.

18.3. Técnica de la foto

Otra manera de enviar un tratamiento a distancia es a través de una foto de la persona receptora.

Escriba el nombre completo de la persona, los símbolos 3, 2 y 1, en esta secuencia, con sus respectivos mantras al lado, tres veces. Seguidamente coloque la foto delante de usted; entonces irradie Reiki hacia el receptor a través de la foto. Es posible irradiar sosteniendo la foto entre las manos, si lo prefiere.

A falta de una foto, escriba el nombre y dirección de la persona, e intente imaginar su rostro en su mente. El procedimiento siguiente es el mismo que antecede.

Varios reikianos podrán formar un círculo y colocar la foto o el papel en el centro, donde todos irradiarán. Acuérdese de que la energía quedará multiplicada por el cuadrado del número de reikianos que participen.

18.4. Técnica de la rodilla

En la técnica de la rodilla es en la que hemos encontrado mejores resultados. Se utiliza como complemento o en sustitución de la técnica de aplicación presente. Pone mucho énfasis en el cuerpo etérico (nadis, chakras y canales eléctricos), generando, como consecuencia, el desbloqueo de la recepción de energías superiores. Debemos seguir la siguiente secuencia:

a) Escoja una pierna para iniciar la aplicación a distancia; ésta deberá ser siempre la misma para que exista co-

Esté preparado para perder de vez en cuando.

rrespondencia vibratoria. Recomiendo comenzar por la izquierda para personas diestras y por la derecha para los zurdos.

b) La pierna o rodilla escogida corresponderá a las cuatro posiciones de la cabeza, el muslo de la misma pierna corresponderá a las cuatro posiciones de delante del cuerpo, y el muslo de la pierna opuesta corresponderá a las cuatro posiciones de la espalda, más las dos posiciones de los pies. La totalidad de las catorce posiciones tradicionales recibirán energía a través de la correspondencia en sólo tres puntos.

c) Coloque la mano no dominante en concha, sobre la rodilla escogida; la otra mano permanece libre para dibujar los símbolos.

d) Dibuje el símbolo 3 (mantra tres veces), seguido del 2 (mantra tres veces). En este momento afirme tres veces el nombre de la persona que vaya a recibir la energía, mentalizando su rostro. Hecho esto, dibuje el símbolo 1 y coloque la mano dominante al lado de la otra mano, sobre la rodilla que estará correspondiendo a las posiciones de la cabeza. Debemos permanecer irradiando durante cinco minutos.

e) Deslice suavemente las dos manos hacia el muslo de la misma pierna; permanezca así durante más de cinco minutos; de esta forma alcanzará todas las posiciones de delante de la persona receptora.

Se ama más a lo que se conquista con esfuerzo.

f) Transfiera una mano cada vez hacia el muslo de la pierna opuesta, permaneciendo así durante cinco minutos; de esta forma alcanzará todas las posiciones de la espalda y pies de la persona receptora.

Con esto, en apenas 15 minutos, se tiene un tratamiento completo de Reiki. Tras la aplicación, desconéctese del campo áurico de la persona lavándose las manos.

Podemos establecer otros puntos de correspondencia. Ejemplos: el codo con la cabeza, el antebrazo con la frente, y el otro antebrazo con la espalda y pies.

La técnica de la rodilla también puede ser utilizada, como ya vimos, en el autotratamiento con tiempo reducido a 2,5 minutos por posición.

Caso de que usted no conozca personalmente a la persona hacia quien está dirigiendo el Reiki, no se olvide de tener el cuidado de utilizar una foto con el nombre completo de la misma, o el nombre y dirección. Incluso si ésta no se encuentra en su domicilio en aquel instante, recuerde que trabajamos fuera del tiempo presente; más tarde, ésta lo recibirá en el ayer o en el mañana.

El futuro dependerá de aquello que hacemos en el presente.

Capítulo 19

Técnicas de transformación

VALE LA PENA acordarse de lo que dijo Jesús, según el capítulo 16, versículos 23 y 24, del Evangelio de San Juan: «En aquel día ya no me preguntaréis ninguna cosa. En verdad, en verdad os digo, que si pidiereis al Padre alguna cosa en Mi nombre, Él os la dará. Hasta ahora, nada pedisteis en Mi nombre. Pedid, y recibiréis, para que sea completa vuestra alegría». ¡Es necesario pedir! Difícilmente dejamos de encontrar esta frase en una de las decenas de obras escritas por el padre católico Lauro Trevisan. Si usted no solicita un aumento de salario, difícilmente el patrón se lo concederá. «El niño que no llorar no mama», es una conocida verdad popular. Aprenda a pedir para vivir mejor.

19.1. Técnica del cuaderno

Existen personas que piden al Cosmos por medio de oraciones, a través de la fe religiosa, haciendo promesas u ofrendas y alcanzan sus objetivos. En el Reiki enseñamos a la persona a pedir científicamente; a interferir en su vida

---

Aquello que pido y no sucede es porque no es bueno para mí. No conseguir lo que se quiere es, a veces, un golpe de suerte.

de una forma generalizada en no menos del 80 por 100 de sus problemas. Aquí recogemos lo que sembramos; la mayor parte de los acontecimientos no es kármica y puede ser alterada.

En esta técnica vamos a escribir en un cuaderno todo lo que deseamos curar, alterar, obtener, hacer, concluir, conseguir, saber, comprender, liberarnos. Colocaremos también fotos, nombres y direcciones de personas que amamos, a quienes vamos a dirigir la energía vital a distancia.

El cuaderno es personal; utilice la técnica de la caja que se explica a continuación, para pedir por personas con las que usted no tenga una vinculación mayor, poniendo énfasis sobre la interacción de campos de energía a nuestra vez, en casa, en el trabajo, en el club, etcétera, y sobre nuestros cuerpos emocional y mental.

En materia de pedidos, muchos reikiano entran en el terreno de asuntos amorosos. En ocasiones queremos el amor de otra persona, pero ésta, a su vez, tiene una relación con una tercera. No sería lícito solicitar el rompimiento de esa relación, para atendernos a nosotros; lo correcto es solicitar la mejor relación para nosotros, sin citar a nadie. Pedir el amor de otra persona sin su permiso no sería correcto; estaríamos forzando la voluntad ajena, interfiriendo en su libre albedrío, lo que acarrea consecuencias kármicas, además de que éstas caerían sobre la propia relación.

19.1.1. Activación del cuaderno

a) Primero debemos escoger un cuaderno que sea práctico, es decir, pequeño, de pastas duras y con no menos de 50 hojas.

Se obtiene más fácilmente lo que se pide, sin manifestar prisa por obtenerlo.

b) Para facilitar el manejo del cuaderno, sugiero dividirlo en tomos, cada cual destinado a un asunto específico (salud, familia, finanzas, asuntos profesionales, afectividad, descanso, espiritualidad, etcétera). Existen cuadernos divididos en colores, lo que facilita la distribución de los pedidos. Podemos pegar fotos de personas, animales, objetos, etcétera, hacia los que deseamos dirigir la energía vital.

c) En la contratapa debemos dibujar los símbolos 3, 2 y 1, en ese orden; al lado, escribiremos siempre tres veces cada mantra respectivo. Repetimos el mismo proceso en la última tapa; enseguida colocamos una hoja o foto sobre los mismos, para que no pueda copiarlas una persona cualquiera que no está habilitada.

d) Escriba, dibuje, pegue, pida lo que quiera respecto a cada uno de los asuntos. Haga aquello que Jesús dijo que deberíamos hacer, Él no puso limitaciones.

e) Para activar el cuaderno, colóquelo sobre la mano no dominante, manteniéndola en forma de concha, con los dedos unidos. Con la otra mano dibuje los símbolos en la secuencia 3, 2 y 1 sobre la tapa. Aplique cinco minutos de energía con el cuaderno entre las manos; repita la misma operación sobre la otra tapa. El cuaderno quedará activado y energizado durante 24 horas. Deberá volver a energizarlo cada 24 horas, aproximadamente. Los símbolos activarán el direccionamiento de la energía Reiki a todos los pedidos que estuvieran contenidos en el cuaderno.

Podemos escribir en cualquier idioma y tener errores ortográficos, pues lo que importa son las ondas mentales impregnadas en el momento en que escribimos.

No hay necesidad de apagar la luz del prójimo para que la nuestra pueda brillar.

f) La energización diaria se podrá realizar en apenas cinco minutos, sobre uno de los lados, sin necesidad de dar la vuelta al cuaderno, como en la activación inicial.

Si no consigue realizar alguno de sus deseos, normalmente significa que debe cambiarse alguna cosa, o debe ser curada previamente, para que este deseo pueda hacerse realidad después. La realización de un deseo se verá facilitada cuando todos los aspectos involucrados se encuentren en armonía con la energía del amor.

19.2. Técnica de la caja

La manera más poderosa de abrir, activar, energizar y equilibrar todos sus chakras, y mantener su cuerpo y mente en una condición saludable, es amar. Esto puede no parecer una técnica muy científica, pero es cierta. El amor es la mayor fuerza curadora que existe; el mayor instrumento para la evolución y purificación.

Debemos asumir plenamente la responsabilidad ante nuestro despertar y el despertar de la humanidad. Cuando nos amamos a nosotros mismos, y estamos aptos para ofrecer ese amor a los demás, sin juzgar si lo merecen o no, mantenemos nuestros cuerpos recargados y vitalizados con la energía de la vida. Eso puede parecer una cosa difícil de conseguir, pero, en verdad, eso puede ser tan simple como uno cree que es.

Observamos que los reikianos que utilizan la técnica que sigue, obtienen resultados más rápidamente en su cuaderno personal. Ante las leyes de la espiritualidad, ayudando a los demás estamos ayudándonos a nosotros mismos.

Cumpla sus promesas.

La técnica de la caja se utiliza esencialmente cuando no disponemos de suficientes datos sobre la persona a quien estamos dirigiendo la energía; para ejecutar las otras técnicas, tenemos direcciones incompletas, nombres incompletos, motes, indicaciones tales como «el amigo del portero», etc. El énfasis lo debe colocar sobre los cuerpos extrasensorial y emocional superior. Es la manera que tenemos de auxiliar a un gran número de personas con las cuales no tenemos una conexión mejor.

19.2.1. Activación de la caja

a) Escoja una caja mediana, de algún material que en el futuro pueda quemarse fácilmente (cartón, madera, etcétera). Una buena opción es una caja de zapatos.

b) En el fondo de la caja, internamente, colocamos los símbolos 3, 2 y 1, en este orden, cada uno con su respectivo mantra, tres veces. Colocamos sobre los mismos una hoja para que no los visualicen personas no iniciadas en el nivel 2. En la tapa no hay necesidad de que coloquemos los símbolos.

c) Dentro de la caja colocamos las peticiones de diversas personas simultáneamente, a quienes deseamos dirigir la energía vital. Podemos colocar fotos, notas, pedazos de tejidos, etcétera.

d) La activación se hace en cinco minutos. Cada 24 horas es necesaria la reactivación de la energía durante más de cinco minutos.

Cuando se nos cierra una puerta en la vida, hay siempre otra que se abre. Lo malo es que, en general, miramos con tanto pesar y resentimiento a la puerta cerrada que no nos damos cuenta de la que se abrió.

Capítulo 20

Respiración de los chakras. Vitalización y equilibrio

DEBEMOS ADQUIRIR conciencia de que, a través de la respiración, estamos unidos a todo lo que nos rodea. Todas las personas, animales y plantas respiran el mismo aire, y usted inhala lo que ellos exhalan, y viceversa.

Pero no solamente es hacia fuera como el aire nos une con todo, pues también en nuestro interior él establece un contacto, un intercambio permanente; hasta en la más pequeña de las células penetran partes de nuestra respiración, suministrando fuerza vital a nuestro cuerpo.

De la India conocemos la palabra «Prana», que significa, aliento vital y también Energía Cósmica; esas diversas traducciones describen los diferentes niveles de respiración. A través de la respiración estamos conectados con la fuerza vital que penetra en todo, y sin la cual no podría haber Creación. De este modo tomamos conciencia de las dimensiones de nuestra respiración, que representa algo tan universalmente grande, a pesar de ser tan común.

Siempre que estemos inquietos, ansiosos o rabiosos, debemos detenernos de actuar o de hablar, porque hablar o hacer cosas en ese momento puede ser muy destructivo. Lo mejor que podemos hacer es una buena práctica respiratoria.

Al dirigir la conciencia hacia nuestra respiración, podemos dar origen a muchas cosas positivas, influenciado sobre los chakras.

Técnica de la Respiración, utilizando el símbolo 1.

a) Siéntese en una posición cómoda, sin zapatos, con la espalda derecha, mantenga los ojos cerrados y permanezca algunos minutos en silencio, sintiendo el ritmo normal de su respiración.

b) Después de esos minutos en que usted solamente ha prestado atención a su respiración automática, vamos a dirigir la respiración, inhale y exhale el aire tranquila y uniformemente por la nariz, dos o tres veces (de esa manera simple).

c) Ahora visualice el símbolo 1 frente a usted, a la altura del chakra básico, y, al inspirar, sienta que el chakra está participando del proceso (usted está respirando también por el chakra), y que el símbolo es absorbido por la inspiración de su chakra.

d) Sienta durante algunos minutos el símbolo 1 pulsando en el chakra básico; sienta cómo toda la energía del lugar, del chakra, se expande.

e) Ahora, al espirar, visualice cómo todas las emociones negativas son expelidas de su cuerpo, del chakra (puede utilizar la imagen de una humareda oscura), y ahora visualice el símbolo 1 pulsando en el lugar, como un gran corazón dorado (o de otro color de su preferencia).

f) Repita la misma operación con todos los otros chakras y, al llegar al chakra coronario (en la parte superior de la cabeza), después de la espiración y de sentir el símbolo

No deje crecer hierbas dañinas en el jardín de su cuerpo.

pulsando en el lugar, visualice un inmenso símbolo 1 sobre su cabeza. Siga sintiéndolo durante algunos minutos, y después visualícelo entrando por la parte superior de la cabeza, y llegando hasta la planta de los pies. Al llegar a ese lugar de su cuerpo, saldrá y será absorbido por la tierra.

Observaciones: En el momento en que esté visualizando el símbolo 1, puede hacer afirmaciones tales como. «¡Me permito estar en armonía con el Cosmos! ¡Soy luz!», u otra frase/idea de su preferencia (con tal de que la temática sea un proceso de apertura y armonización), tres veces; y así estará intensificando el proceso de limpieza. No se olvide de que el símbolo es la unión del Mantra y el Yantra (sonidos y formas); entonces, al visualizar la forma del símbolo, tiene que repetir su sonido tres veces.

La añoranza es una flor tan pequeña que sólo se encuentra en el jardín de la separación. La añoranza no mata, pero martiriza el corazón.

Parte III
TERCER NIVEL

Capítulo 21

Consideraciones iniciales

E N EL NIVEL 1 recibimos «El Despertar», y percibimos que no había necesidad de convivir con tantos problemas que resultaban en sufrimientos, enfermedades psicosomáticas, dolores, desequilibrios que se manifestaban en nuestro cuerpo físico, en nuestro «Yo inferior».

En el nivel 2 recibimos «La Transformación», con lo que comenzamos a interferir, literalmente, en aquello que hasta entonces era considerado intocable, como nuestro «destino» o nuestro «Karma». Tomamos conocimiento de que podemos y debemos, a través de nuestro «libre albedrío», hacer y rehacer nuestra vida personal, en lo que atañe a todos los aspectos de ésta. El nivel 2 ya está centrado en los procesos mentales y emocionales; en los residuos energéticos de nuestra emoción, de nuestro sentir, incluso de otras vidas.

En el nivel 3-A alcanzamos «La Realización». Percibimos que tenemos un poder ilimitado; podemos realizar todo, adquirimos la conciencia de que no somos únicos en nosotros mismos, y de que estamos en intrínseco movi-

Todo lo que usted desea realizar está a su alcance. Basta con que lo perciba. Querer es poder.

miento con el universo, nuestros cuerpos sutiles se inter-
pretan, nuestros «Yoes» participan igualmente del proceso
de vivir.

Puede parecer que el proceso de la Realización sea algo
complejo, destinado solamente a personas especiales, evolucionadas, lo cual no es verdad. Nos hallamos, desde hace
milenios, en el proceso de la Realización, procurando saber, inconscientemente, quiénes somos realmente, qué re-
presentamos, o qué hacemos aquí, y hacia dónde vamos.
Esas son las premisas principales para la Realización. Toda
Realización, involucra la necesidad de nuestra expansión,
de que perdamos un poco de nuestras raíces terrenas, in-
mediatistas, y nos proyectemos hacia el Cosmos, la fuente
de nuestra vida.

Solamente al estar «Realizándonos» conoceremos el
verdadero rostro de la divinidad, y nos volveremos Luz. La
«No Realización» es lo mismo que esconder a Dios en un
cajón. Entenderemos que todas nuestras imperfecciones,
nuestro lado malo, del cual todavía no nos podemos libe-
rar, son etapas de esa humanidad rumbo a la Realización.
Permitiremos que el universo more en nuestro corazón a
pesar de todos nuestros conflictos.

Lo que es correcto, no se encuentra por medios incorrectos...

Capítulo 22

El Nivel 3-A, o de la conciencia

E L NIVEL 3-A está disponible para aquellos reikianos que ya recibieron los dos primeros niveles y ya están preparados para expandir mucho más su potencial para la canalización de la energía. Es el nivel más interesante y sorprendente del sistema. Al principio, la técnica Reiki involucra solamente tres niveles. El nivel 3-A fue desmembrado del último módulo, por algunos maestros, para que algunos alumnos, que no deseaban dar lecciones de Reiki (un curso más caro y prolongado), pudiesen, en un seminario rápido, ponerse a trabajar con la energía fortalecida de los maestros de Reiki. Esa graduación involucra una nueva activación energética, fundamental, de energía de alta frecuencia.

La tercera graduación «A» del Reiki, es también conocida como el grado de maestro interior, o nivel de «Conciencia» avanzada; esa iniciación no califica todavía al alumno para enseñar el Reiki, quedando limitada su utilización al uso personal. Este nivel lleva al alumno a encon-

Piense en grande y será grande.

trar su verdad más real, a tocar su propio Karma; al aprendizaje consciente y constante.

Los maestros conscientes del Reiki prestan gran atención al tiempo transcurrido entre este nivel y el anterior, con el fin de que haya una «maduración» del alumno, evitando la acumulación de crisis provenientes del proceso de limpieza energética, posterior al proceso de sintonización, quedando de esta forma más leve y diluida. Este periodo podrá variar de cuatro a doce meses; mas que eso sería querer detener el avance evolutivo del alumno. El tercer nivel requiere extremo cuidado, pues el volumen de energía involucrado en el proceso de curación es muy grande, promoviendo eliminaciones rápidas de bloqueos energéticos, impregnados en nuestro cuerpo.

En el Nivel 3-A recibimos, a través de un cuarto símbolo, un poderoso instrumento de impulso para la armonización del Todo. Este símbolo sirve para amplificar o intensificar los efectos de los símbolos recibidos en el segundo nivel, capacitando al alumno para armonizar y curar un gran número de personas (multitudes), estados y hasta países. Podemos ser agentes de la regeneración planetaria. El nuevo símbolo nos conduce al núcleo de los sentimientos de las demás personas, permitiéndonos conectar con sus partes más puras, sus porciones divinas.

En este nivel, enseño técnicas complementarias, no reconocidas por la Escuela Tradicional de Reiki. No podemos negar el mérito de la Escuela Tradicional de Reiki por haber introducido el Reiki en Occidente, así como por haber preservado, dentro de lo posible, la pureza del sistema. A pesar de ello, los métodos modernos de enseñanza fun-

Todo comienzo es fácil. Difíciles son los últimos grados.

cionan bien; por lo tanto, deben tener su lugar y mérito. Es común escuchar afirmaciones de maestros de la Escuela Tradicional de Reiki que dicen que los demás no tienen el verdadero Reiki, que recibieron enseñanzas erróneas, que no funcionan; sin embargo, tales actitudes son contrarias a la relación de la ética terapéutica y antagónicas a la energía del Reiki, que es la misma, sea cual fuere el sistema.

Cuanto más dé, más recibirá.

Capítulo 23

Dai Koo Myo

EL DAI KOO MYO es el símbolo de la Realización, el símbolo de los maestros. El significado de este símbolo puede ser traducido como: «Llevándonos de regreso a Dios» o «Dios (Gran Ser del Universo), brilla sobre mí y sé mi amigo».

Su utilización permite una conexión inmediata entre el «Yo físico» y el «Yo superior», en consecuencia, su uso es indispensable durante el proceso de sintonización de nuevos reikianos.

El Dai Koo Myo trae sabiduría ilimitada a través de la manifestación de la divinidad sobre el plano físico. Éste hará que ocurra una intensificación de la captación de la energía Reiki, ampliando y acelerando los efectos de los símbolos Choku Rei, Sei He Ki y Hon Sha Ze Sho Nen. Él nos pondrá en contacto con energías de alta frecuencia, acelerando las partículas energéticas de nuestro cuerpo y de todo el campo vibratorio a nuestra vez, limpiando de inmediato todos los canales eléctricos que sirven de con-

No hay tempestad capaz de arrancar un árbol cuyas raíces penetran en el fondo de la tierra.

ducción a la energía
Reiki. Hace que nues-
tro volumen de ener-
gía sea limitado.

El Dai Koo Myo
cura, fundamental-
mente, el alma y pue-
de recibir la defini-
ción de «La cura del
Alma».

Cada uno de los
símbolos Reiki se di-
rige, de manera espe-
cífica, a uno de los
cuerpos vibratorios.
Así como la resonan-
cia del Choku Rei es
más intensa en el cuerpo físico, y el Sei He Ki actúa sobre
el cuerpo emocional, el Hon Sha Ze Sho Nen tiene su actuación sobre el cuerpo mental. La resonancia del Dai Koo
Myo está relacionada con el cuerpo espiritual. Es una curación muy poderosa que sana el malestar en la fuente superior, en la primera causa. Ocurren transformaciones profundas en el paciente; el terapeuta presencia verdaderos
milagros durante las sesiones.

El Dai Koo Myo va derecho a la energía de la divinidad,
a la energía original, conectando a la persona receptora
con esa energía. Según mi apreciación, es la energía terapéutica más potente de que disponemos en el planeta Tierra y, sin duda alguna, la más positiva.

El mal es el bien, mal dirigido.

23.1. Otras versiones del Dai Koo Myo

Versión tibetana   *Versión Reiki tradicional japonés*

No aburra a las personas con sus problemas. Cuando alguien le pregunte «Cómo le va», diga: «Estupendamente, cada vez mejor». «¿Cómo le van los negocios?», responda: «Excelente, mejorando cada día».

23.2. Utilización del símbolo 4 (Dai Koo Myo)

El símbolo 4 puede ser utilizado como potenciador en cualquier especie de trabajo de curación o transformación; puede ser utilizado en cualquier lugar, a cualquier hora, incluso cuando estemos conduciendo. El Reiki comenzará a fluir en nuestras manos, independientemente de lo que estemos haciendo con ellas. No debemos olvidar que el mantra debe ser pronunciado o pensado siempre tres veces.

El Dai Koo Myo debe ser utilizado siempre antes que los demás para que pueda amplificarlos.

En el autotratamiento, antes de comenzar la aplicación, utilizamos el símbolo 4 y después el 1. Para trabajar problemas emocionales, usamos, en esta secuencia, los símbolos 4, 2 y 1. Para procesos mentales y curaciones de acontecimientos pasado/futuro, utilizamos la secuencia 4, 3, 2 y 1.

El mismo razonamiento sirve para el tratamiento de multitudes y otras personas, aunque, en este caso, este símbolo, al igual que los demás, serán visualizados sobre la cabeza del paciente, en el sentido de la frente hacia la nuca.

En la curación a distancia, las técnicas son las mismas que en el segundo nivel. Incluyendo el nuevo símbolo, la secuencia quedará 4, 3, 2 y 1. Esta nueva modalidad permitirá la irradiación de energía hacia un número ilimitado de personas, simultáneamente.

Las técnicas de transformación del cuaderno y de la caja deberán recibir la inclusión del símbolo 4, pasando a ser la secuencia: 4, 3, 2 y 1.

El universo es un reservorio ilimitado de posibilidades.

En la actualidad, existen diferencias en la manera de dibujar, como la enseñan los diferentes maestros. Todas las versiones funcionan bien, no siendo fundamental que todos lo hagan de la misma forma. Lo importante en la aplicación de los símbolos Reiki es la intención. Aconsejo a todos los alumnos que lo utilicen de la forma en que estén acostumbrados.

Nada de lo que usted imagina es imposible.

Capítulo 24

Activación de los canales de fuerza

E L CHAKRA CORONARIO (Sahasrara) es el más importante de todos; presenta 972 pétalos (segmentos). Es el eslabón entre nuestro cuerpo físico y la realidad cósmica o energías superiores.

La apertura de este chakra tiene que ver con la apertura de la conciencia y la perfección del ser. Genera la visión global del universo y nuestro camino de crecimiento, haciendo que podamos alcanzar la serenidad espiritual, la completa conciencia universal, el sentido de la totalidad, de paz y fe, dando un sentido propio a nuestra existencia.

La energía aplicada durante una sesión de Reiki es captada por este chakra. La técnica de activación de los canales de fuerza permite que usted active y equilibre el chakra coronario, haciendo que la energía Reiki pueda ser captada, y que pueda fluir en grandes cantidades, proporcionando la condición de curación de multitudes, estados y países, el planeta, etcétera.

Perfeccionarse no es cambiar de cualidad, sino armonizar las cualidades.

Realice la siguiente secuencia, siempre que esté sintonizado energéticamente con el nivel 3-A; en caso contrario no lo intente:

a) Junte los dedos anulares, medios y pulgares de cada mano. Los dedos índices y meñiques deben permanecer estirados.

b) Coloque las manos de manera que el dorso de los dedos medios y anulares permanezcan juntos, y el dedo meñique y el índice de la mano derecha queden sobre el dedo meñique y el índice de la mano izquierda.

Vista frontal

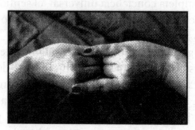

Vista superior

La fuente inagotable está dentro de uno. Si usted posee la fuente, puede ofrecer agua, a voluntad.

c) Lleve las manos hacia la parte alta de la cabeza, como si fuesen una antena, tocando el chakra coronario con las puntas de los dedos que permanecen unidos (medio, anular y pulgar).

d) Visualice los símbolos 4, 1, 3 y 2, exclusivamente en esa secuencia, pues es como si fuese una clave. Los mismos deberán ser dibujados mentalmente en la parte alta de la cabeza e imaginados como entrando por el chakra coronario.

e) Permanezca en esa posición durante tres minutos y su chakra coronario estará activado para captar y expandir en la frecuencia de la multitud.

Todo el universo fluye como el agua; para sentirlo, no lo retenga.
Simplemente abra sus manos.

Capítulo 25

Reiki en el Planeta

CONFORME nos demostró Albert Einstein con su teoría de la relatividad, la masa y la materia de nuestro planeta no son otra cosa sino energía condensada, que se presenta en forma de montañas, océanos, etcétera; siendo energía, el planeta también puede sufrir interferencias y ser tratado.

El reikiano de nivel 3, por el volumen de energía que llega a poder captar, podrá funcionar como un agente de la regeneración planetaria. Los recientes disturbios climáticos observados, llamados de «el Niño», no son más que la respuesta del planeta a los malos tratos que ha recibido del hombre con la emisión de contaminantes en el aire atmosférico, las basuras atómicas, las pruebas nucleares, etcétera...

¡Usted puede ayudar al planeta!

El maestro William Lee Rand participó en la ex clínica de Reiki de la maestra Hawayo Takata, en Hilo, Hawai, en el mes de abril de 1996, en una reunión de maestros de

Sea bondadoso con la Tierra. Trate bien a nuestro planeta. Nuestros hijos, nietos, biznietos, etcétera... necesitarán de él para respirar y alimentarse. Ellos se lo agradecerán.

Reiki. Durante la ceremonia se estableció y se pidió que todos los practicantes y maestros de Reiki trabajasen en armonía para curar el planeta.

Nuestra orientación es que se haga los domingos, a las seis de la tarde, en el lugar donde nos encontremos. Trace los símbolos 4, 3 y 2 e imagine al planeta entre sus manos, tres veces; trace el símbolo 1 y permanezca así de 15 a 30 minutos.

¡Gracias!

No tienen derecho a llamar mi Padre a Dios quienes no pueden llamar a los hombres mis hermanos.

Capítulo 26

Meditación con los símbolos

MEDITACIÓN es el estado mental en que se consigue alcanzar el nivel alfa. El ritmo del cerebro desciende hasta una media de catorce ciclos por segundo, y la persona estará tocando la sabiduría, el poder y las fuerzas superiores.

A través de la meditación, de la relajación, de la calma profunda, de la paz del espíritu, de la concentración, de la contemplación, de la oración, podremos alcanzar la interiorización que nos acerca a la comunión con el universo y con Dios.

La meditación es la vía directa de la conexión con el Poder Infinito y con la Sabiduría Infinita; en otras palabras, con Dios. Es llegar a la Luz, al Padre, al Origen.

La meditación con los símbolos es extremadamente armonizadora, pues combina los resultados usuales de la meditación con el poder de transformación y cura de los símbolos de la técnica Reiki. Promueve un profundo relajamiento neurológico, una expansión de la conciencia, desarrolla y perfecciona la capacidad de proyección de la mente y la clarividencia.

La paz es la salud de la mente, es la cualidad más deseada, después del amor.

Siga la secuencia:

a) Siéntese o échese de manera confortable, con los ojos cerrados; deje manos y piernas extendidas, sin cruzarlas.

b) Visualice el símbolo 4, en color blanco, delante de usted; repita el nombre mentalmente, despacio (tres veces). Siéntalo entrando a través de su chakra coronario, como si fuese una bola de billar luminosa, que desciende por la columna hasta el chakra básico.

c) Visualice que todos los chakras se vuelven más luminosos a medida que el símbolo 4 desciende por su columna; sienta que su energía se expande.

d) Repita la misma operación con el símbolo 3 (en color azul), 2 (verde) y 1 (en color violeta).

Observaciones: Obtendrá mejores resultados si utiliza luz indirecta, música «Nueva Era» e incienso. Durante el proceso procure que no lo interrumpan.

Sea paciente consigo mismo.

Capítulo 27

Mandala
de cristales

27.1. Los cristales

LOS CRISTALES son la manifestación más pura de la energía y de la luz en el plano físico.

Los átomos que los componen están en perfecta armonía y permiten, de este modo, la manifestación de la luz en forma sólida. Científicamente, por medio de la física moderna, se ha aprobado y comprobado que los cristales son los mejores conductores y amplificadores de energía que se conoce, por lo que son utilizados en la composición de fibras ópticas, chips de ordenador, fabricación de relojes (cuarzo), etcétera.

De la misma forma, pueden ser utilizados para ampliar los efectos de la energía Reiki, acarreando resultados mejores y más rápidos.

Comprométase con la calidad.

27.2. Cristales y Reiki

Los cristales de cuarzo tienen la propiedad de ser capaces de absorber y mantener pensamientos e intenciones, siendo posible también programarlos para emitir Reiki, que será enviado mientras usted esté desarrollando sus actividades cotidianas y rutinarias.

La energía podrá ser canalizada hacia personas o cualquier otro objeto o situación; las bendiciones y resultados serán verdaderamente increíbles.

El uso de cristales dispuestos en mandala, asociados al Reiki, permite que la emanación de la energía continúe transmitiéndose durante 72 horas con la misma intensidad.

Cada cristal posee su propia vibración, y habrá algunos que son más apropiados que otros para ser utilizados con el Reiki. La elección debe ocurrir usando la intuición o cualquier otro método alternativo, como el uso del péndulo, por ejemplo.

27.3. Elección de los cristales y preparación

Debemos adquirir ocho cristales. Usted necesitará seis cristales parecidos para la parte externa de su mandala, uno para el centro y otro para utilizarlo como cristal maestro. El del centro puede ser facetado, tipo generador, como yo lo prefiero, o puede ser una pirámide, bola o que presenten doble cara. Los demás es importante que sean de doble cara, para que funcionen como receptores y emisores de energía.

Necesitamos entender que los poderes superiores se encuentran dentro del propio hombre y no fuera de él.

Los esotéricos afirman que es el cristal el que nos escoge, y no nosotros a ellos; utilice su intuición.

Debemos limpiar los cristales de posibles energías impropias que puedan contener; todas las vibraciones deberán ser eliminadas, para que todos queden totalmente neutros. Existen varios métodos para la limpieza de los cristales, tales como:

- colocarlos bajo el agua corriente;
- exponerlos al sol y a la luna, enterrados parcialmente en el suelo, con las puntas hacia arriba, para sintonizarlos con la energía de la Tierra/Sol/Luna;
- colocarlos en agua de mar o con sal gruesa;
- ahumarlos;
- cubrirlos con sal marina,
- aplicar Reiki con la intención de limpiarlos (símbolo 1).

Utilice el método que encuentre más adecuado para que los cristales queden listos para su uso.

Tras la limpieza debemos aplicar Reiki a cada uno de los ocho cristales, por lo menos diez minutos, programándolos con el propósito de que proporcionen amor, curación y transformación. Trace el símbolo 4, 3 y 2 sobre el cristal; colóquelo entre las manos y afirme tres veces: «Este cristal está siendo programado para traer amor, curación y transformación». Trace el símbolo 1 y aplique Reiki, colocándolo entre las manos durante un periodo mínimo de diez minutos.

Amamos las cosas y nos aprovechamos de las personas, cuando deberíamos amar a las personas y aprovecharnos de las cosas.

27.4. Hexagrama

Los mandalas son dibujos geométricos que conservan energía, como la cruz de Cristo, la esvástica de Hitler y tantos otros conocidos. Estas líneas, dibujadas en papel, crean un efecto psíquico en el espacio alrededor del dibujo e influenciarán el aura humana y los chakras de varias formas.

El hexagrama tiene su origen en la más remota Antigüedad, habiendo sido usado incluso por el rey David (estrella de David), por grupos esotéricos antiguos, sectas y ocultistas del pasado. Esto no significa que sea un símbolo anticuado, pues mantendrá siempre sus características.

En la ciencia de la radiónica, es considerado un gráfico altamente armonizador, así como unificador. Al separar las figuras del gráfico, podemos percibir dos triángulos, uno con el vértice hacia arriba y otro con el vértice hacia abajo. El triángulo puede significar la Santísima Trinidad (Padre, Hijo y Espíritu Santo), el plano tridimensional (físico). En consecuencia, podríamos decir que el triángulo vuelto hacia abajo representa la gracia divina vuelta hacia la Tierra, y el otro, el hombre en busca de su Realización Espiritual.

Este gráfico puede representar el chakra cardiaco, unificando los tres chakras inferiores, elevándolos hacia los tres superiores. Los triángulos entrelazados manifiestan el potencial unificador y continuo.

Podemos utilizarlo para elevar la conciencia, armonizar los chakras, unificar los cuerpos sutiles, armonizar un ambiente que esté espiritualmente alterado, manifestar la voluntad del plano superior en el plano físico (y no la nuestra), ayudar en estudios profundos, aguzar nuestra intuición, buscar contacto con nuestro Yo Superior, envolvernos en protección espiritual, limpieza de ambientes destinados a la relajación y la meditación, haciendo que permanezcamos más receptivos. Existen todavía muchas otras aplicaciones.

27.5. Antahkarana

Es una palabra sánscrita (Antar = medio o interior, y Karana = causa, instrumento). El Antahkarana es utilizado técnicamente para representar el puente entre la mente superior y la inferior; el instrumento operacional entre ambas (*The Theosophical Glossary,* H. P. Blavatsky).

Alice Bailey y varios otros autores de filosofía tibetana tiene algún conocimiento de Antahkarana, lo cual usted también puede encontrar en un gran número de libros. Ellos describen el Antahkarana como parte de la anatomía espiritual. Se trata de la conexión entre el cerebro físico y el Yo Superior. Es la conexión que tiene que crecer si quisiéramos crecer espiritualmente. El símbolo del Antahkarana que se describe aquí representa esta conexión y la activa en su presencia, dondequiera que usted se encuentre.

El Antahkarana es un símbolo antiguo de meditación y curación, que viene siendo utilizado en China y en el Tíbet durante millares de años. Es un símbolo poderoso, y apenas teniéndolo en su presencia creará un efecto positivo en el aura y en los chakras. Es un símbolo especial que

No queme los puentes después de atravesarlos. Se quedará sorprendido al ver cuántas veces tendrá que cruzar el mismo río.

tiene su propia conciencia. Por ser dirigido por el Yo Superior, siempre tiene un efecto benéfico, y nunca puede ser mal utilizado o utilizado para causar el mal.

Este símbolo puede ser colocado bajo una mesa de aplicación de Reiki, bajo el asiento de una silla. Puede colocarse en la pared, etcétera... Crea lo que los taoístas llaman la gran órbita microcósmica, en el punto en que las energías psíquicas, que normalmente entran por el chakra coronario, entran por los pies y viajan subiendo por detrás del cuerpo hasta la parte superior de la cabeza, y de ahí descienden por delante hasta los pies nuevamente, conectando, así, a la persona con la Tierra y creando continuo flujo de energía a través de los chakras. Esto también neutralizará la energía negativa que haya quedado recogida en objetos tales como joyas, relojes, piedras, etcétera.

El Antahkarana intensifica todos los trabajos de curación, incluyendo Reiki, Johrei, Mahikari, Jin Shin, Terapia de Polaridad, Quiropráctica, Hipnoterapia, Regresión a Vidas Pasadas, etcétera. Estos efectos positivos han sido confirmados en los consultorios.

Este símbolo es multidimensional; actúa en diferentes planos, y está compuesto de tres sietes, sobre una superficie plana. Los tres sietes representan los siete chakras, los siete colores del arco iris y los siete sonidos de la escala musical. Estos tres sietes se mencionan en el libro de las Revelaciones (Apocalipsis) como las siete velas, trompetas y los siete sellos. Su energía se mueve y sube, a través de las dimensiones invisibles, hasta la dimensión del Yo Superior.

Todo lo que usted necesita le es dado. Irónicamente, cuando uted se da cuenta de eso, comienza a recibir mucho más.

Su uso no es ampliamente conocido porque estaba restringido a los pocos maestros tibetanos que lo guardaban para sí mismos.

Existen informaciones de que este símbolo fue creado por el consejo de los maestros superiores, que cuidan de la evolución de la galaxia. Fue traído a la Tierra durante el periodo lemuriano, hace cerca de cien mil años, juntamente con el Reiki (Michelle Griffith). Esto en función de los problemas del pueblo de la Tierra en la época, que necesitaron de ayuda para restablecer su conexión con el Yo Superior; por eso no se puede usar para el mal.

El Antahkarana ha sido guardado durante millares de años, siendo conocido y utilizado por pocos. Ahora es la hora que todos, en la Era de Acuario, tengan acceso a este símbolo de curación antiguo y sagrado. Cualquiera que lo use logrará reforzar la conexión entre el cerebro físico y el Yo Superior.

27.6. El mandala de cristal

Es posible crear un mandala utilizando un símbolo de curación, como, por ejemplo, el hexagrama y el Antahkarana (existen otros) y ocho cristales, el cual servirá para enviar Reiki con propósito de curación, protección y de alcanzar metas. Existen varios métodos para trabajar con mandalas y cristales, todos eficientes y, sin embargo, muy similares.

El mandala puede ser utilizado para enviar Reiki hacia muchas personas y situaciones al mismo tiempo; esta ema-

Cuando tenemos que escalar una montaña, no crea que esperar va a volverla más pequeña.

nación ocurrirá independientemente de su presencia en el lugar, y de lo que esté haciendo, habiendo necesidad de reactivación energética de la misma sólo cada 72 horas. Será útil no solamente para curar o resolver situaciones personales, sino también para curar y guiar nuestras vidas, haciendo que nos volvamos parte integrante de la gran transformación que está ocurriendo en el planeta, en los principios de la Era de Acuario.

Si usted, digamos, viaja y quiere mantener su mandala energizado de la misma forma, sáquele una foto y llévela con usted, juntamente con el cristal maestro. Utilizando el Hon Sha Ze Sho Nen, usted se conectará con el mandala y lo energizará con el cristal en su mano. La foto mantendrá, a su vez, una energía muy curativa y protectora.

27.7. La construcción de su mandala

a) Prepare un lugar especial, de preferencia uno al que sólo usted tenga acceso, para montar su mandala. Ese lugar puede ser un altar o cualquier otro lugar que comenzará a ser sagrado en su casa.

b) Puede escoger un paño o cartulina para forrar el lugar donde vaya a montar el mandala. Si opta por elegir colores, una buena opción será el azul oscuro, que representa el infinito, el cosmos.

c) Dibuje, pinte y coloque el hexagrama o el Antahkarana sobre el paño o la cartulina.

d) Escoja ocho cristales, utilizando la intuición, que deberán ser purificados antes de ser usados. Sumérjalos en

El dinero vuelve bonita su casa. Las sonrisas vuelven felices a los moradores. Sonría por todo y por nada. Su sonrisa contagiará a los familiares, y todos se sentirán maravillosamente bien junto a usted.

agua durante 24 horas. También puede dejarlos al sol durante 8 horas, dejarlos al aire libre durante la luna llena, enterrados parcialmente en el suelo, con las puntas hacia arriba, para sintonizarlos con la energía tierra/sol/luna.

e) Aplique el Reiki, utilizando los símbolos 4, 3, 2 y 1, en cada uno de los ocho cristales, entre las manos, durante un tiempo mínimo de 10 minutos. Haga tres afirmaciones para cada uno tras el símbolo 2: «Este cristal está siendo programado para el amor, la curación y la transformación». Si en ese momento lo desea, puede decir oraciones, pidiendo que los ángeles y arcángeles le ayuden a programar los cristales.

f) Escoja, entre los ocho cristales, uno que parezca más masculino (YANG). Ese será su cristal maestro para energizar a los otros cristales, haciendo la interconexión entre los 6 cristales, que quedarán en las puntas con el cristal del centro, manteniendo el mandala activado.

g) Coloque cada uno de los seis cristales en cada punta del hexagrama o Antahkarana, con sus puntas dirigidas hacia el centro de la figura. El cristal maestro se coloca del lado de afuera del mandala. La distancia entre los cristales puede variar de 20 a 30 cm., dependiendo del tamaño del mandala.

h) Colocamos el octavo cristal en el centro; si fuese un bipolar, quedará alineado con otros dos. Este podrá también ser una pirámide, una bola de cristal o, como es mi preferencia, un cristal tipo generador. No los mueva más para no reducir la conexión energética. El cristal del centro servirá de base para la colocación de las peticiones.

Existe una gran diferencia entre ayudar por interés y el interés por ayudar.

i) Prepare sobres, uno para cada persona, donde se colocarán fotos y tarjetas con peticiones. En el reverso de la foto y de las tarjetas de petición debemos dibujar los símbolos 4, 3, 2 y 1, con sus respectivos mantras, tres veces. En las tarjetas debemos colocar los datos personales (nombre, dirección), las peticiones y las afirmaciones.

Utilice afirmaciones escritas tales como:

—«Me permito curar y transformar toda vida a mi alrededor.»

—«Estoy lleno de felicidad y armonía.»

—«Las energías que fluyen a través de mí se vuelven cada vez más fuertes.»

Utilice su intuición creativa para generar nuevas afirmaciones.

Los sobres, con fotos y peticiones, serán colocados debajo del cristal del centro; éstos recibirán Reiki del mandala sin interrupción. No se olvide de colocar su foto también.

j) Tras la colocación de los sobres conteniendo las fotos y las peticiones debajo del cristal central, aplique 10 minutos más de Reiki sobre el cristal central, sin apoyarse en el mismo, utilizando los símbolos 4, 3, 2 y 1.

k) Sostenga el cristal maestro con la mano dominante, llévelo al centro, apúntelo y hágalo girar sobre el cristal del medio, y muévalo hacia uno de los cristales externos, llevándolo de un cristal a otro, volviendo siempre al centro y regresando al mismo cristal, como si estuviese cortando pedazos de torta. Este proceso se hace un poco encima del mandala, imaginando la energía Reiki que sale del cristal

Las flores artificiales se fabrican en un día, pero son estériles.

maestro y energiza el mandala. Puede hacer esto tanto en sentido de las agujas del reloj como al contrario, en función de que la energía cósmica gire en espiral en el mismo sentido.

l) Gire el cristal maestro alrededor del mandala por lo menos ocho a diez veces. Mientras energiza su mandala con el cristal maestro, pronuncie o mentalice una serie de afirmaciones tales como:

—«Yo energizo este mandala con luz para curar, curar, curar...»

—«Yo energizo este mandala con amor para transformar, transformar, mejorar...»

Use su intuición creativa y genere sus propias afirmaciones.

m) Repita la misma operación cada 72 horas, para mantener el mandala activo y energizado. Si dispone de tiempo y lo prefiere, puede activarlo diariamente.

Tipos de cristales para el centro del mandala

No confunda comodidad con felicidad.

n) Tendrá que proceder a una nueva limpieza de cristales sólo cuando cambie o introduzca una nueva petición bajo el cristal central.

27.8. Ejemplos de mandalas formados

Éste es un mandala de cristales bipolares lapidados, dispuesto sobre el símbolo Antahkarana. Note que los cristales están apuntando hacia el centro. El cristal maestro está en la parte de afuera. En el centro tenemos un cristal generador, lapidado. Las flechas indican la dirección para apuntar y mover el cristal maestro cuando se energiza el mandala, cada 72 horas.

Cristal maestro

En la eternidad el tiempo no cuenta.

Éste es un mandala de cristales bipolares naturales, dispuesto sobre el hexagrama. Note que los cristales están apuntando hacia el centro. El cristal maestro está en la parte de afuera. En el centro tenemos una pirámide de cristal. Las flechas indican la dirección para apuntar y mover el cristal maestro cuando energice el mandala cada 72 horas.

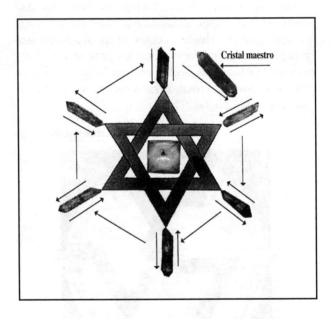

Cristal maestro

Agradezco a las personas que me rechazaron y que me dijeron no. Por causa de ellas, he obrado por mí mismo, y he llegado hasta aquí.

27.9. ANTAHKARANA

Observaciones: Fotocopie el símbolo de la página y, posteriormente, recórtelo y plastifíquelo. Aumente de 50 a 100 %, de acuerdo.

Usted no es un ser humano que está pasando por una experiencia espiritual. Usted es, en realidad, un ser espiritual que está vivenciando una experiencia humana.

27.10. HEXAGRAMA

Observaciones: Fotocopie el símbolo de la página y, poste-
riormente, recórtelo y plastifíquelo. Aumente de 50 a 100 %,
de acuerdo.

No se puede poseer nada, y cuanto más pronto perciba esto, más
sintonizado estará con el maravilloso principio de la abundancia.

Capítulo 28

Cirugía energética (Técnica Kahuna Reiki)

L AS CONOCIDAS cirugías espirituales recibirán, en este capítulo, la denominación de cirugía energética, por entender que este nombre es más apropiado.

Muchas veces recurrimos a los médicos, que se esfuerzan, y no es raro, por sanar el mal, aunque no siempre lo consigan, pues el origen de muchas enfermedades es generalmente psicosomático y está en el cuerpo energético y no en el físico.

Los reikianos de nivel 3-A, por el volumen de energía que manipulan, proporcionan la materia prima para que la espiritualidad realice curas admirables por medio del ectoplasma. No hacen cortes, ni sangre, ni usan anestesia. Las curaciones son comprobadas por radiografías, resonancia magnética y exámenes de laboratorio.

El maestro de Reiki William Lee Rand desarrolló esta técnica cuando convivió con los kahunas en Hawai.

Esta técnica puede utilizarse en uno mismo o ser aplicada en otras personas. Las enfermedades, en general, son

La fuerza de la mente es ilimitada, pero el cuerpo físico es demasiado limitado. Sea justo y amoroso con su cuerpo. Es indispensable dar al organismo el tiempo necesario para que recupere las energías; si no, entrará en colapso.

creadas por barreras energéticas al flujo normal de energía
vital. Los bloqueos son creados por pensamientos, emociones procedentes de alguna discordancia. Estos bloqueos
adquieren, generalmente, forma definida, y se alojan en los
órganos, alrededor de éstos, en los chakras o en el aura. Los
mismos pueden causar problemas de salud, así como otras
dificultades. Una vez eliminados, la energía vital retoma su
flujo normal y la salud de la persona queda restituida, física y emocionalmente.

El presente tratamiento no sustituye al tratamiento médico; el ideal es que haya un tratamiento en conjunto con
la medicina convencional. Este tipo de cirugía actúa en los
campos de energía de la persona; No se hacen cortes en el
cuerpo, ni hay remoción de tejidos físicos, como lo hacen
las cirugías realizadas en las Filipinas, o por el doctor Fritz,
en Bonsucesso, en Río de Janeiro.

28.1. Secuencia de la cirugía

a) Debemos preguntar al paciente si desea ser curado, respetando la ley divina del libre albedrío.

b) El primer paso es identificar el motivo de la cirugía, en qué
parte del cuerpo está el problema,
intentando localizar el bloqueo.
El paciente, en general, siente
tensión o dolor en el lugar cuando piensa en el asunto.

Uno de los mayores males de hoy es el estrés. Desacelere su ritmo.
Duerma bien naturalmente, practique deportes y ejercicios físicos,
salga de vacaciones, tenga sosiego, aliméntese bien, tome el sol,
manténgase tranquilo y sereno en todas las circunstancias.

c) Pida al paciente que intente dar una forma y, posiblemente, un color, al bloqueo de energía negativa que ha de ser eliminado (cubo, esfera, pirámide, burbuja, bola de vidrio, huevo, etc...).

d) El paciente podrá estar de pie, sentado o echado. Dibuje el Dai Koo Myo en ambas manos y aplauda tres veces, repitiendo verbal o mentalmente su mantra, también tres veces. Haga lo mismo con el Choku Rei.

e) Trace el Choku Rei delante de su cuerpo. Después, nuevamente, ante cada uno de los siete chakras, de abajo hacia arriba, para generar defensa y protección energética. No se olvide del mantra tres veces para cada uno.

f) Alargue el ectoplasma que envuelve sus dedos. Esto se hace agarrándose los dedos con una de las manos, uno cada vez, imaginando que están hechos de una sustancia maleable. Se estirarán a una distancia de aproximadamente 25 a 30 cm. Al estirarlos, espire por la boca, haciendo ruido audible. Haga esto en ambas

Los árboles recios muchas veces se quiebran en las tempestades. También los hombres firmes, rígidos, se desmoronan en las crisis de la vida. Sea flexible y maleable. Vivan y dejen vivir a los demás.

manos. Entrelace las manos de modo que sienta los dedos estirados y la fuerza que tienen. Serán sus «bisturíes energéticos».

g) Mantenga la intención de curación, una postura optimista, confiada, definida y clara.

h) Diga una oración dirigida a Dios, ya sea en voz alta o para usted, mentalmente. Pida a Dios, a los ángeles y arcángeles, a los maestros de Reiki y de la luz curadora, para que ayuden en el proceso de curación y que ésta ocurra con amor y sabiduría divina.

i) Pida al paciente que mentalice el problema y el lugar a ser tratado. Trace el Choku Rei sobre la zona en la que se encuentra el bloqueo.

j) De pie, en una posición de vigor y determinación, utilizando sus dedos energéticos, que fueron alargados (bisturí energético), encuentre, «coja» el bloqueo, sacándolo hacia fuera del cuerpo áurico del paciente y remitiéndolo, «en pedazos», hacia el cosmos.

k) Cuando retire la energía negativa, inspire vigorosamente, con sonidos audibles. Cuando libere la energía negativa a Dios, espire vigorosamente, también, con sonidos audibles. Para prevenir contaminaciones imagine que

Cuando mueras, sólo te llevarás lo que hayas dado.

usted está inspirando la energía negativa hasta las manos y no hacia los pulmones. La energía negativa debe quedar circunscrita a los dedos energéticos alargados y no llegar a nuestro cuerpo.

l) Haga esto por lo menos cinco veces, durante uno a tres minutos, retirando el bloqueo desde ángulos diferentes. Utilice su intuición; intente sentir y participar de lo que está sucediendo.

m) Pregunte al paciente si siente alguna alteración. En caso de que éste todavía sienta el bloqueo, repita el proceso que antecede, hasta que el paciente sienta que la forma (bloqueo) se fue completamente. En este momento usted habrá alcanzado la meta.

n) Terminado el proceso, aplique Reiki sobre el lugar, para «cauterizar» el aura donde se encontraba el bloqueo, llenándola con luz.

o) Aléjese, rompa la interacción áurica entre usted y el paciente con un gesto de corte, tipo golpe de kárate. Retraiga los dedos energéticos alargados, uno por uno, haciendo soplos audibles.

p) Realice otras sesiones de cirugía, si el síntoma no hubiese desaparecido totalmente.

28.2. Consideraciones finales

Muchas veces el bloqueo puede estar siendo alimentado con algún sentimiento o emoción negativa del paciente, como: rabia contra algún pariente o conocido, sentimiento de culpa, celos crónicos de alguien, envidia del éxito o

Cuanto más oses, más conseguirás.

prosperidad de otra persona, tristeza permanente, etcétera. Oriente al paciente a cambiar o a tratar su forma de actuar y pensar (Reiki, florales, terapias, etc.). Pida al paciente que mentalice la emoción causante del bloqueo, y trátelo con Reiki utilizando los símbolos 4, 3, 2 y 1.

Es importante saber que, durante el proceso, el paciente podrá sentir debilidad, enfado, dolores de cabeza, vómitos, diarrea, etc., debido a los ajustes del cuerpo al proceso de limpieza. Recomiende al paciente que beba mucha agua, que coma frutas y verduras, que repose más y, si fuese posible, que utilice alguna hierba laxante o similar, que facilite la limpieza interna.

Esta técnica es poderosa y funciona.

Si usted controla los pensamientos, controlará sus sentimientos, pues éstos se originan de aquéllos.

Capítulo 29

Técnicas enseñadas al maestro Johnny De' Carli

L OS CONOCIMIENTOS transmitidos a lo largo de los seminarios de nivel 2 y 3-A, en lo que concierne a la utilización de los símbolos cósmicos, no es absoluto, pleno. La utilización de los símbolos no está restringida solamente a lo que se conoce en Occidente; existe mucho campo para los descubrimientos personales, lo que ocurrirá con el progreso de las investigaciones sobre la física cuántica y las técnicas vibratorias.

En el mes de julio de 1997 tuve la oportunidad de acceder a conocimientos transmitidos por monjes tibetanos, durante el sueño, cuando utilicé las técnicas convencionales de proyeciología o viaje astral. Estas técnicas se enseñan hoy día a mis alumnos durante los seminarios de nivel 3-A.

29.1. Técnica de proyección astral

Ésta es una técnica de desdoblamiento o proyeciología que posibilita el don de la clarividencia. La captación de situaciones se hace a través de la emisión de ondas cerebrales, en conjunto con la técnica Reiki, que se describe a continuación:

a) Siéntese cómodamente, coloque luz indirecta, música suave y baja, encienda una vela delante de usted, un incienso, coloque una amatista o cristal de cuarzo y un vaso de agua, para simbolizar los cuatro elementos energéticos de la naturaleza. Utilice ropas limpias y cómodas. Prevéngase para no ser interrumpido, incluso por llamadas telefónicas o timbres.

b) Diga una oración silenciosa dirigida a Dios, a los ángeles, arcángeles, maestros de luz y del Reiki, pidiendo que le ayuden en el proceso.

c) Haga 7,5 minutos de autoaplicación de Reiki, usando la técnica de la rodilla, con objeto de armonizar los chakras y el aura. Aplique cinco minutos más en la tercera posición de la cabeza, invertida (una mano en la frente y la otra en la nuca), tratando de armonizar el chakra frontal y la glándula pineal.

d) Trace los símbolos 4 y 3 en el aire, sin olvidarse los respectivos mantras tres veces. Levante las manos, en concha, mentalice la formación de una gran esfera violeta formándose delante de usted.

e) Afirme tres veces que usted acaba de abrir un portón interdimensional, que está ligado a su destino, a otro país, estado, barrio, casa, etc... Trace el símbolo 2 y el 1. Cierre los ojos e intente mirar el chakra frontal, emita ondas cerebrales hacia la esfera violeta, dirigidas al lugar de destino. Mentalícese de que su mente comienza a funcionar

Siga de frente. Incluso aunque no distinga el final de la escalera, continúe subiendo. El camino se hace caminando. Siguiendo adelante usted llegará con certeza.

como si fuese una televisión preparada para recibir las ondas emitidas por usted, ahora sensibilizadas con sonidos e imágenes. Estas ondas se transformarán en sonidos e imágenes, captadas en el lugar deseado, y usted tendrá la impresión nítida de estarla observando con sus propios ojos.

¡Inténtelo, pues funciona!

29.2. Técnica de regresión

Esta técnica puede utilizarse inclusive para hacer regresión a personas hasta vidas anteriores, pudiendo ser usada con éxito, concomitantemente con otras técnicas convencionales de Terapia de Vidas Pasadas.

Muchos buscan la regresión por mera curiosidad. Ya he recibido al menos veinte personas que se autodenominaban Cleopatra. Alejandro «el Grande», me llegaron unos cinco. A veces llego a pensar que el único «trabajador humilde» del pasado fui yo. Estoy en contra de realizar esta técnica por hacerla, sin un objetivo claro, definido, que justifique el proceso. Determinadas informaciones del pasado, afloradas en la mente consciente del paciente, podrán perjudicarle en lo que concierne al proceso evolutivo y de rescate kármico.

Utilice esta técnica solamente en último caso, como, por ejemplo, una tentativa permanente de suicidio, etc...

Siga la secuencia:

a) Siente al paciente cómodamente, reduzca la luz, coloque música, vela, incienso, un vaso de agua y una piedra

No tienen derecho de llamar Mi Padre a Dios aquellos que no pueden llamar a los hombres mis hermanos.

(cuatro elementos). Prepárese para no ser interrumpido por el teléfono o el timbre.

b) Respetando la ley divina del libre albedrío, pregunte al paciente si desea ser curado usando la técnica de la regresión.

c) Diga una oración silenciosa dirigida a Dios. Pida a los ángeles y arcángeles, a los maestros del Reiki y a sus ángeles guardianes que lo auxilien en el proceso. Diga una oración pidiendo al ángel guardián del paciente autorización para interferir en el proceso.

d) Aplique 10 minutos de Reiki, a distancia, sobre el paciente, usando la Técnica de Reducción. Aplique 5 minutos de Reiki sobre el chakra coronario y 5 minutos en la tercer posición de la cabeza invertida (una mano en la frente, otra en la nuca), procurando armonizar el sexto chakra, la glándula pineal y acceder a su subconsciente.

e) Coloque la mano no dominante, en concha, sobre el chakra coronario del paciente. Trace, con la mano dominante, los símbolos 4, 3 y 2, sin olvidar los mantras respectivos, tres veces. Haga tres afirmaciones en voz alta, de la siguiente forma: la energía, a través de ondas cuánticas, sigue hacia el pasado de «fulano de tal», juntamente con su mente consciente, su conciencia.

f) En este momento trace el Choku Rei y permanezca en esta situación durante, aproximadamente, 3 minutos.

g) Comience a conversar, suavemente, con el paciente, haciendo que se recuerde de situaciones significativas del último año. Vaya llevando su recuerdo hacia hechos significativos del pasado (casamiento, noviazgo, aniversario, viaje, etc...).

Divida sus conocimientos. Es un medio de alcanzar la inmortalidad.

h) Lleve su recuerdo a la preinfancia, con 2 ó 3 años de edad.

i) Pida que mentalice su fecha de nacimiento, día, mes y año. Llévelo hacia el útero materno. Es común, en ese momento, que el paciente se encoja en posición fetal.

j) Pida al paciente que visualice un cono violeta giratorio, que penetra en este túnel rumbo al pasado; localice un punto luminoso y «agárrese a él». En este momento la persona tendrá percepciones o conciencia de su vida anterior. Usted puede continuar el proceso en dirección a otras vidas.

k) Pida a la persona que mentalice, en este momento, la causa de su problema (rechazo, depresión, tendencias suicidas, fobias, etc...). En el momento en que el paciente identifique la causa (¡esté atento!), coloque una de las manos en el chakra frontal y la otra en la nuca, y comience a hacer afirmaciones tratando de disolver aquel bloqueo.

l) Traiga a la persona nuevamente a la fecha de su nacimiento y posteriormente a la fecha actual.

¡Funciona y bien! Hágalo con responsabilidad.

29.3. Técnica de interpretación de los sueños

Hace muchos millares de años que existen los intérpretes profesionales de sueños. Entre los pueblos antiguos de Babilonia, Caldea y Judea la interpretación de los sueños era conocida como un arte consumado. El documento más antiguo que tenemos de una obra publicada sobre la interpretación de sueños fue compilado por Artemedoro Dalida-

Todo es necesario y todo pasa.

rius, en el segundo siglo después de Cristo. Esa obra se vio traducida al inglés y publicada en Londres, durante el siglo diecisiete. Desde entonces fue reimpresa y traducida a todas las lenguas. Desde la época de Dalidarius, el interés por el estudio de los sueños no ha disminuido. Algunos psicólogos, tales como Freud, Jung, Rhine, McDougall y Zener, dedicaron la vida al asunto.

El 10 de enero de 1937, el *Sunday Mirror*, de Nueva York, publicó un artículo en su sección de revista, titulado «Soñó la tragedia, y sucedió». Eran las palabras de un hombre que, a bordo de un navío en el océano, soñó haber visto al hijo morir en un accidente de automóvil. En verdad, vio el accidente en ese sueño. Al día siguiente recibió un telegrama comunicándole la muerte del hijo en circunstancias casi precisamente iguales a las que le habían sido reveladas en el sueño la víspera. Recuerden que lo mismo sucedió con uno de los miembros de la banda Mamonas Assassinas, un día antes del trágico accidente de avión, cuando regresaban a São Paulo.

Comenzando por la Biblia, casi todos los documentos de la Antigüedad aludían a los sueños y a su interpretación. Cicerón, Platón, Aristóteles, Sócrates y Plutarco estudiaron los sueños.

Yo, particularmente, utilizo los libros de interpretación de sueños del famoso autor y astrólogo Zolar.

Usted puede utilizar el Reiki, en unión de un buen diccionario de sueños, como un poderoso instrumento de arte adivinatorio y premonitorio.

Dibuje los símbolos 4, 3, 2 y 1 en cada una de las tapas de su diccionario de sueños. No se olvide de escribir el

Los hombres harían muchas cosas, si no juzgasen tantas cosas como imposibles.

mantra respectivo tres veces por cada uno. Escriba una afirmación pidiendo que el libro funcione como canal de conexión, a través de los sueños, entre usted y su ángel guardián o sus mentores. Aplique cinco minutos de Reiki en el diccionario todas las noches. En caso de que tenga dificultades en soñar, o de recordarse de los sueños, le recomiendo el Floral minero, Ageratum: 5 gotas, 4 veces al día.

Cada ser humano tiene su lugar y su misión. Nadie le puede substituir.

Anexo 1. Localización de las principales glándulas y órganos del cuerpo humano

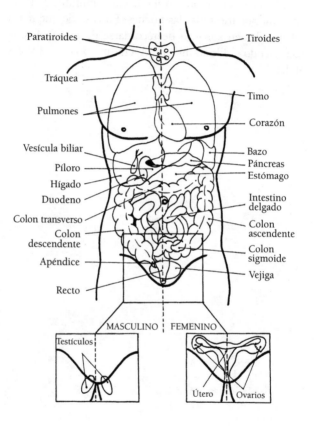

Fue necesario recorrer cada curva del camino para que llegáramos hasta aquí.

Anexo 2. Localización de las principales glándulas y órganos del cuerpo humano

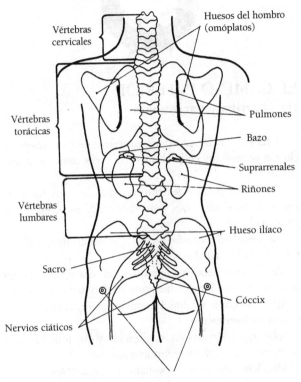

Puntos de presión para los nervios ciáticos

Retener es perecer.

EL CAMINO INTERIOR
Hacia arriba y hacia abajo

«Una vez que la verdadera naturaleza de las cosas es cíclica, a veces estoy en lo alto y otras veces estoy en la parte más baja.

Esos ciclos pueden ser bruscos cuando estoy fuera de sintonía con el universo, y suaves cuando estoy en armonía con él.

Me acuerdo del miedo intenso que sentía cuando alcanzaba las partes más bajas.

Me gustaría haber comprendido en esa época que en aquella parte no me quedaba otra posibilidad sino subir.

Mientras tanto, en aquel momento, yo no era capaz de pensar racionalmente.

Saber que todo está en movimiento y que todo se mueve en ciclos es algo reconfortante para mí.

Mis ciclos son ahora espontáneos y agradables.

No creo que las partes bajas sean particularmente agradables, mas ahora entiendo que son apenas el otro lado de las partes más altas».

Por más larga y oscura que sea la noche, el sol vuelve siempre a brillar.

LA GRAN INVOCACIÓN
La oración del tercer milenio

Desde el punto de luz en la Mente de Dios,
que fluya la luz en las mentes de los hombres,
que la luz descienda a la Tierra.

Desde el punto de Amor en el Corazón de Dios,
que fluya el amor en el corazón de los hombres,
que Cristo vuelva a la Tierra.

Desde el centro donde la voluntad de Dios es conocida,
que el propósito guíe a las pequeñas voluntades de los hombres,
el propósito que los Maestros conocen y sirven.

Desde el centro que llamamos la raza de los hombres,
que se realice el Plan de Amor y Luz,
y selle la puerta donde se encuentra el mal.

¡Que la Luz, el Amor y el Poder restablezcan el Plan Tierra!

La oración perfecta es aquella que viene de dentro hacia fuera, y no la que va de fuera para dentro. La verdadera oración nace en el corazón. El diálogo con el Padre se hace ahí dentro y no aquí fuera. El Padre está en el Cielo de la mente y no en el cielo de la boca.